Linda Kaplan Thaler e
Robin Koval

CB142453

O Poder da Gentileza

Descubra como a simpatia e a delicadeza podem transformar sua vida

SEXTANTE

Título original: *The Power of Nice*
Copyright © 2006 por Linda Kaplan Thaler e Robin Koval
Copyright da tradução © 2008 por GMT Editores Ltda.
Publicado em acordo com Currency/Doubleday, uma divisão da Random House, Inc.
Todos os direitos reservados.

tradução
Sonia Coutinho

preparo de originais
Marcia Vieira

revisão
José Tedin
Masé Sant'Anna
Sérgio Bellinello Soares

projeto gráfico e diagramação
Valéria Teixeira

capa
Mariana Newlands

pré-impressão
ô de casa

impressão e acabamento
Geográfica e Editora Ltda.

CIP-BRASIL. CATALOGAÇÃO-NA-FONTE
SINDICATO NACIONAL DOS EDITORES DE LIVROS, RJ

K26p Kaplan Thaler, Linda

O poder da gentileza / Linda Kaplan Thaler e Robin Koval [tradução de Sonia Coutinho]. – Rio de Janeiro: Sextante, 2008.

Tradução de: The power of nice
ISBN 978-85-7542-401-8

1. Liderança. 2. Liderança – Aspectos psicológicos. 3. Sucesso – Aspectos psicológicos. I. Título.

CDD 658.4092
08-1810 CDU 658:316.46

Todos os direitos reservados, no Brasil, por
GMT Editores Ltda.
Rua Voluntários da Pátria, 45 – Gr. 1.404 – Botafogo
22270-000 – Rio de Janeiro – RJ
Tel.: (21) 2286-9944 – Fax: (21) 2286-9244
E-mail: atendimento@esextante.com.br
www.sextante.com.br

Para meus pais, Bertha e Marvin,
por me ensinarem o poder da gentileza.

LINDA KAPLAN THALER

Para minha irmã, Joyce, uma mulher
que nasceu com o poder da gentileza
no coração.

ROBIN KOVAL

SUMÁRIO

Prefácio

Para mim, um dos maiores livros que já foram escritos é *Cântico de Natal*, de Charles Dickens. Por quê? Por causa da sua premissa simples: agir corretamente faz com que a pessoa se sinta melhor. Não é algo religioso. É apenas o princípio de que praticar o bem melhora nossa vida. Por exemplo: se comermos uma torta inteira, ficaremos enjoados. Coma um pouco e ofereça o que sobrar a outras pessoas.

Quando me convidaram para ser entrevistado sobre *O poder da gentileza*, aceitei não apenas para ser gentil. Fiz isso porque acho que é a maneira certa de agir. Mas, atualmente, ser gentil é algo tão surpreendente que se torna notícia. Recentemente, contei uma piada no programa e recebi uma carta de uma mulher dizendo que ficara ofendida. Telefonei-lhe para pedir desculpas e dizer que lamentava ter ferido os sentimentos dela. Por algum motivo, ela entrou em contato com os jornais e meu pedido de desculpas se tornou manchete! Vivemos numa sociedade em que uma simples cortesia é tão *incomum* que, quando somos gentis, somos tratados como se tivéssemos salvado a vida de alguém.

Mesmo que você se envolva num acidente de carro, as companhias de seguro lhe recomendarão que não se desculpe. É uma admissão de culpa. Então, o que elas querem que você faça? Que saia correndo e telefone para seu advogado? No entanto, meu palpite é que, se for sua culpa e se você se desculpar, 9 entre 10 pessoas ficarão gratas e, provavelmente, serão mais generosas com relação a uma compensação pelo prejuízo. Acredito que muitos dos nossos problemas atuais podem ser resolvidos com simples atos de gentileza.

Ser simpático é especialmente importante quando se tem um palco como o *The Tonight Show*. Não pode ser um púlpito para a intimidação nem um local para acariciar o ego. É por causa da minha mãe que o programa se chama *The Tonight Show com Jay Leno*, em vez de *The Tonight Show Estrelando Jay Leno*. Ela achou que dizer estrelando Jay Leno seria como dizer ao público: "Ah, olhem para mim, sou um figurão." Então, eu lhe disse: "O.k., mamãe. E que tal 'com Jay Leno'?"

A vida não é assim tão dura. Tente dar um pouquinho. Você ficará surpreso com o que receberá em troca.

Jay Leno

CAPÍTULO I

O poder da gentileza

Há anos, temos um carinho especial por um dos seguranças do nosso prédio de escritórios em Manhattan. De fato, a maioria de nós tem uma grande consideração por ele. Frank, um homem forte e jovial, na casa dos 50 anos, anima o dia das pessoas recebendo todos os que entram em nosso prédio com sonoros e calorosos cumprimentos. “Olá, Linda!, “Olá, Robin!”, diz ele. “Tenha um ótimo dia!”

As cativantes saudações matinais de Frank mudaram a maneira como nós, da The Kaplan Thaler Group, começávamos o dia de trabalho. Em vez de apenas passar anonimamente nossos cartões de acesso e seguir para a fila do elevador, nos descobríamos procurando Frank para ouvir seu indispensável “Alô”. Ele nos predispunha favoravelmente para todo o dia. Mas nunca havíamos pensado em como Frank podia estar ajudando nosso negócio, além de impedir que intrusos entrassem no prédio.

Isso até o dia em que Richard Davis, presidente do U. S. Bank, o sexto maior banco dos Estados Unidos, veio nos visitar. Durante meses, toda a nossa equipe trabalhou para criar uma atmosfera que o agradasse e conquistasse para nós a vultosa conta do U. S. Bank.

Na ocasião da visita de Davis estávamos na reta final. Éramos uma das duas agências ainda no páreo para a conta. Davis e sua equipe voaram de seus escritórios em Minneapolis para nos encontrar pessoalmente. Não percebíamos, na ocasião, mas Davis e sua equipe estavam um pouquinho apreensivos com relação ao tipo de tratamento que receberiam na cidade de Nova York. A marcha furiosa e a atitude inflexível, tipo "Saia do meu caminho", comum entre os moradores da Big Apple, já faziam parte da mitologia da cidade. Eles temiam que fôssemos frios demais, distantes demais.

Mas, quando entraram em nosso prédio, Richard Davis e sua equipe receberam a saudação calorosa e entusiástica de Frank. Ao chegar a nosso escritório alguns minutos depois, Davis estava entusiasmado com o amável segurança. "Esse sujeito me deu um tremendo olá!", disse ele. "E, de repente, pensei: como é que eu poderia dispensar o trabalho de uma companhia que tem alguém como Frank? Como poderia sentir qualquer coisa que não prazer ao contratar uma agência como esta?" Ganhamos a conta.

Claro, Davis não nos daria a conta se não estivesse bem impressionado com nosso trabalho. Mas temos de dar crédito a Frank. Com uma conta multimilionária em jogo, seu caloroso alô nos ajudou a fechar o acordo.

É o poder da gentileza.

O segurança conquista o coração do presidente. Pode soar como um filme da Disney, mas garantimos que não foi nenhuma fantasia. Escrevemos *O poder da gentileza* porque discordamos inteiramente da sabedoria convencional que diz "Pessoas gentis sempre terminam no último lugar" e "Nenhuma boa ação é recompensada". Nossa cultura ajudou a propagar que a filosofia cruel de "um contra todos" é o que importa. Mas isso é exatamente o oposto da maneira como administramos nossa agência e nossas vidas. Em menos de uma década transformamos a The Kaplan Thaler Group numa usina de publicidade com um volume de negócios correspondente a quase um bilhão de dólares, o que a faz uma das agências de propaganda de crescimento mais rápido do país. Não obtivemos nosso sucesso a ferro e fogo, mas com flores e chocolates. Nosso crescimento não resulta do medo e da intimidação, mas de sorrisos e cumprimentos.

Repetidas vezes temos visto o extraordinário poder da gentileza em nossos acordos comerciais e em nossas vidas pessoais. É o passageiro paciente que cortesmente pede ao funcionário encarregado dos bilhetes da empresa aérea para checar mais uma vez, por favor, e que consegue passar para a primeira classe, e não o arrogante que diz "Sou uma pessoa importante". É o motorista cortês que se desculpa com o policial do trânsito e que, eventualmente, consegue ser perdoado por dirigir acima do limite de velocidade.

Mas a gentileza traz um problema de imagem. A gentileza não gera respeito. Ser rotulado de "gentil" significa, em geral, que a outra pessoa não tem muita coisa positiva para dizer a seu respeito. Ser gentil é ser considerado uma Pollyana, que vê o lado positivo em tudo, ou uma pessoa passiva, fraca e retraída. Sejamos claros: *gentileza não é ingenuidade.* Gentileza não significa sorrir suavemente enquanto os outros pisam em você. Gentileza não significa ser um capacho. Na verdade, significa seguir em frente com a confiança clara que vem de saber que ser muito gentil e colocar as necessidades das outras pessoas no mesmo nível que as suas lhe trará tudo o que você deseja. Pense no seguinte:

- *Pessoas gentis têm mais sorte no amor.* De acordo com um estudo da Universidade de Toronto, a taxa de divórcio entre as pessoas discretas e agradáveis corresponde à metade do índice registrado na população em geral.[1]

- *Pessoas gentis são mais saudáveis.* Estudo da Universidade do Michigan concluiu que os americanos mais velhos que se dispõem a ajudar os outros – seja prestando trabalho voluntário ou, simplesmente, sendo bons amigos e bons vizinhos – têm uma taxa de morte prematura 60% inferior à de seus pares menos prestativos.

- *Pessoas gentis perdem menos tempo nos tribunais.* Outro estudo revelou que médicos que jamais foram processados costumam falar com seus pacientes em média três minutos a mais do que os médicos que respondiam a processos duas ou mais vezes, informa Malcolm Gladwell em seu livro *Blink – A decisão num piscar de olhos.*

- *Pessoas gentis ganham mais dinheiro.* Segundo o professor Daniel Goleman, autor de uma pesquisa sobre a maneira como as emoções afetam o local de trabalho, para seu livro *O poder da inteligência emocional*, há uma correlação direta entre o moral dos empregados e os resultados finais alcançados pela empresa. Um estudo chegou à conclusão de que a cada melhora de 2% no ambiente profissional – ou seja, da alegria e da afabilidade da equipe – resulta um aumento de 1% da receita.[2]

São muitas vezes as pequenas gentilezas – sorrisos, gestos, cumprimentos, favores – que nos fazem ganhar o dia e podem até mudar nossas vidas. Esteja você liderando sua própria empresa, concorrendo para a presidência da Associação de Pais e Mestres ou apenas tentando manter uma conversa civilizada com sua filha adolescente, o poder da gentileza o ajudará a desfazer os equívocos que o impedem de alcançar seus objetivos.

Este livro o ajudará a abrir portas, a melhorar seus relacionamentos no trabalho e em casa e lhe permitirá dormir muito melhor.

Nos próximos capítulos mostraremos que ser gentil não significa sacrificar-se em favor de outra pessoa. Há sempre uma segunda, terceira ou mesmo quarta solução quando você aplica os princípios da gentileza.

CAPÍTULO 2

Os seis princípios do poder da gentileza

Princípio 1
Impressões positivas são como sementes

Todas as vezes que sorri para um mensageiro, ri da piada de um colega de trabalho, agradece a um auxiliar ou trata um estranho com amabilidade e respeito, você emite energia positiva. Essa energia se imprime na outra pessoa, que, por sua vez, a passa adiante e a imprime em várias outras pessoas que ela encontra. Essas impressões têm um efeito multiplicador. E, em última instância, acabam voltando para você. Isso não significa que o garçom a quem você deu uma boa gorjeta um dia fundará uma empresa e lhe oferecerá opções em ações (a não ser que a gorjeta tenha sido mesmo fantástica). Os resultados do poder da gentileza raramente são imediatos. De fato, você pode não perceber qualquer impacto durante anos, a não ser uma sensação de bem-estar em seu íntimo. Não obstante, descobrimos que o poder da gentileza tem efeito dominó. Você pode não ser capaz de traçar uma linha reta entre sua boa sorte e um encontro específico, mas é matematicamente certo que o poder da gentileza abre caminho para muitas oportunidades vida afora. Essas impressões positivas são como sementes. Você as planta e se esquece delas; mas, sob a superfície, elas estão crescendo e se expandindo, muitas vezes de maneira notável.

Aqui vai um exemplo de como o poder da gentileza funcionou para nós. Não faz muito tempo, colocamos a esposa de Donald Trump, Melania, num anúncio da Aflac (empresa de planos de saúde e seguros de vida), por sugestão do seu principal executivo, Daniel Amos. Demos à Sra. Trump, uma das estrelas do anúncio, seu próprio trailer e providenciamos para que ela se sentisse confortável e tivesse tudo de que precisava. Nossa equipe a tratou com distinção não porque ela era casada com uma pessoa famosa, mas porque temos por norma ser corteses e respeitosos com todos os talentos em nossas filmagens publicitárias.

Meses depois, os produtores do programa televisivo *O Aprendiz*, conduzido por Donald Trump, convidaram Linda para ser jurada no episódio em que os candidatos eram solicitados a criar um anúncio de automóvel:

Antes do primeiro segmento ser filmado, apresentei-me a Donald Trump, mencionando o fato de que eu era da agência que usara sua esposa num anúncio da Aflac. Bem, Trump lembrava-se claramente da experiência porque, pouco antes de começar a filmagem, se inclinou e disse: "Vocês foram muito gentis com minha esposa. Veja como vou retribuir o favor."

Em seguida, adiantou-se e descreveu a The Kaplan Thaler Group como uma das mais prósperas agências de publicidade do país – numa rede de televisão! Depois interrompeu o que estava fazendo para me incluir nas discussões em frente às câmeras. Tudo porque fomos gentis com a esposa dele.

Princípio 2
Nunca se sabe

O.k., você está pensando. Então vale a pena ser gentil com a esposa de Donald Trump. Somos todos suficientemente espertos para cooperar com pessoas importantes em nossas vidas – as pessoas com quem mantemos contatos freqüentes, como vizinhos e colegas de trabalho, e as pessoas envolvidas em transações importantes, como gerentes de banco e empregadores em potencial. Não estamos tão dispostos, porém, a nos preocupar com, digamos, um estranho que jamais tornaremos a ver. Freqüentemente, nosso pensamento é: "E daí?"

Diane Karnett, com certeza, nunca imaginou que a moça que encontrou num trem de volta para casa, na cidade de Nova York, transformaria sua vida. A mulher fora visitar a avó, que, por acaso, residia no mesmo bairro em que morava Diane, e elas então dividiram um táxi. Quando chegaram ao prédio da avó, a mulher perguntou a Diane se ela a ajudaria a carregar suas malas, escada acima, até o quinto andar.

Ela pensou: "Por que não?" Mas quando chegou ao quarto andar ela tinha motivos de sobra para ter dito não.

No entanto, a avó da mulher, uma senhora de 85 anos, ex-corista de Ziegfeld (famoso produtor de teatro americano responsável pelos espetáculos conhecidos como *Ziegfeld Follies*), chamada Millie Darling, fez amizade com Diane e lhe mostrou uma Nova York inteiramente desconhecida para ela. "Durante anos, fui tratada como rainha nos *jazz clubs* e bares favoritos dela", disse Diane.

Isso já seria recompensa mais do que suficiente por ter carregado algumas malas por vários lances de escada. Mas, além disso, Millie era a mãe de Chan Parker, a viúva do legendário músico de jazz Charlie Parker. Quando Diane ficou desempregada,

Chan convidou-a para morar com ela em sua casa de campo nas imediações de Paris. Diane aceitou e contou sobre sua mudança aos seus antigos empregadores. Eles disseram que, como ela iria mudar-se de qualquer forma para Paris, por que não abrir para eles uma loja e dirigir uma filial por lá? Diane permaneceu em Paris durante quatro gloriosos anos, passando fins de semana na casa de fazenda de Chan Parker, relacionando-se com os fabulosos e fascinantes visitantes – lendas do jazz, jornalistas e até com Clint Eastwood. "Eu poderia ter deixado aquela desconhecida do trem se virar com as próprias malas. E perder tudo isso", disse Diane.

Quando encontramos desconhecidos na rua, em geral supomos que não são importantes para nós. Ao contrário da nossa amiga Diane, muitas vezes evitamos contato com a mulher sentada ao nosso lado no trem e talvez até apostemos corrida com ela, ao sairmos da estação para pegar o táxi primeiro. Nosso pensamento é: "Ela é apenas uma mulher que não tem nada a ver com minha vida. Pegar o táxi é mais importante do que ser gentil com ela."

Mas como você sabe disso? Essa mulher pode ser a irmã do seu patrão. Ou uma corretora imobiliária que sabe de uma casa no bairro dos seus sonhos. Ou a diretora de uma fundação que poderá dar à sua recém-criada instituição de caridade o apoio de que ela desesperadamente necessita. A verdade é que essa mulher *é* importante para muita gente. Você deve tratar cada pessoa que encontra como se fosse a mais importante do mundo – porque todas são. Se não para você, para alguém; e, se não hoje, talvez amanhã.

Princípio 3
As pessoas mudam

Um erro que cometemos comumente é supor que só precisamos ser gentis com nossos pares e superiores. Que não há necessidade de ser gentil com um assistente ou uma recepcionista, e muito menos com um segurança ou uma faxineira. Afinal, eles não podem fazer nada por nós, não têm nenhum poder.

Isso pode ser verdadeiro ou não – agora. Mas ninguém faz idéia de quem pode tornar-se muito importante para cada um de nós daqui a 10, 20 ou 30 anos. Há alguns anos recebemos o telefonema de uma mulher que parecia estar à procura de emprego. De qualquer modo, aceitamos recebê-la, e verificamos que, na verdade, ela não procurava emprego, e sim uma agência para criar anúncios para dois importantes negócios que ela estava articulando. Era um projeto que valia milhões de dólares. Por que ela nos escolhera? Porque 25 anos antes ela trabalhara com Linda, que a tratou com toda a gentileza e respeito, apesar de ser novata na empresa. Mais de duas décadas depois acabamos ganhando 40 milhões de dólares em novos negócios porque uma de nós fora gentil com alguém que começava no ramo da publicidade. Esse é o poder da gentileza.

Princípio 4
A gentileza deve ser automática

Um amigo nos contou recentemente a história de três empresas de consultoria que concorriam a um vultoso contrato. Uma delas foi sumariamente descartada, embora tivesse feito uma apresentação sensacional. Por quê? Ninguém entendeu. Descobriu-se depois que, quando a possível cliente chegou ao aeroporto, um executivo de uma das firmas de consultoria não a ajudou com as malas. Ele perdeu o contrato ali mesmo. Ela ficou zangada com a grosseria e a falta de educação dele e decidiu que não queria fazer negócio com a sua empresa. Nesse caso, a equipe dele trabalhara dia e noite para oferecer à cliente uma apresentação fantástica, e a conta inteira foi perdida por causa de uma mala.

O executivo negligente sabia, sem dúvida, que a cliente era importante. Então por que não pegou a mala? Simples: ele não era hábil na arte de ser gentil. Se a gentileza fosse parte da maneira como ele tratava a todos, esse descuido jamais ocorreria. Pegar a mala para a cliente seria um ato automático, e não um gesto ocasional, como concessão para clientes, patrões e outras pessoas importantes. Ele teria entendido que pequenos gestos e ações podem ter um impacto imenso.

Princípio 5
Impressões negativas são como germes

Sempre que você se mostra distante com alguém que você acha que "não tem importância", essa pessoa, inconscientemente, reage a isso. Você pode conseguir uma mesa melhor se exigir isso do garçom, mas podemos garantir que seu acompanhante, silenciosamente, dirá: "A conta, por favor." Da mesma forma que ações positivas são como sementes, gestos e comentários grosseiros são como germes – você pode não sentir o seu impacto durante algum tempo, mas eles estão ali, infectando-o e a todos em volta.

Não espalhar germes significa ter extrema consciência e respeito pelo ambiente e pelas pessoas ao seu redor. Porque até mesmo um simples mal-entendido pode criar impressão negativa, como Robin recentemente descobriu:

Claire e eu passamos a noite acordadas preparando uma apresentação para um cliente. Um dos slides insistia em aparecer de cabeça para baixo. Arrancamos nossos cabelos, tentando endireitá-lo – mas ele parecia ter vontade própria. Finalmente, fizemos com que funcionasse e fomos para casa.

No dia seguinte, durante a apresentação em um imenso salão de conferências e para uma porção de gente, o maldito slide apareceu na tela – de cabeça para baixo!

Eu disse: "Ah, meu Deus, Claire. Está errado novamente."

Claire sabia que eu apenas partilhava com ela uma piada particular – mas nenhuma das outras pessoas pensou assim. Todos os demais acharam que eu a censurara publicamente e isso criou uma onda de sentimentos negativos na sala. De fato, quase perdemos o negócio que leváramos meses articulando. Esclarecemos a situação, mas foi uma boa lição para nós: as impressões se fixam no olhar de quem observa e uma única impressão ruim pode infectar tudo.

Princípio 6
Você sabe

Mesmo que nunca mais encontre uma pessoa que você tratou mal, mesmo que ninguém jamais tenha visto ou sabido de sua grosseria ou de seu mau comportamento, *você* sabe. E isso estará em sua mente e em seu coração sempre que participar de uma reunião e tentar convencer as pessoas que ali estão de que devem confiar em você. Como não acredita em si mesmo, você pode colocar em risco o resultado de uma reunião ou de um relacionamento.

O poder da gentileza não tem nada a ver com correr de um lado para outro sorrindo e fazendo favores a todo mundo enquanto calcula o tempo inteiro o que obterá em troca. Não se trata de ser falso nem manipulador. Trata-se de valorizar a gentileza – em si mesmo e nos outros – do mesmo modo que você respeita a inteligência, a beleza ou o talento. A gentileza é uma força poderosa.

Vamos examinar o exemplo de Susan. Há oito anos, Susan recebeu uma carta de uma velha amiga, Helen, cuja sobrinha enfrentava um caso grave de anorexia. Morreria se não recebesse tratamento intensivo numa clínica cara, a milhares de quilômetros da casa dela. Mas o custo do tratamento era muito alto, além do orçamento da família. O pai dela estava desempregado e ainda tinha problemas de saúde. Então a família fez circular uma carta entre os parentes e alguns amigos pedindo dinheiro.

Susan ficou tocada e um pouco surpresa porque as pessoas, mesmo parentes, raramente pedem ajuda de forma tão clara. Tendo três filhos, era difícil para Susan e seu marido decidirem o quanto dar. "Terminamos mandando 500 dólares, o que podia parecer pouco, mas ao mesmo tempo era uma soma expressiva para nós", disse Susan.

Outras pessoas também responderam generosamente. A moça foi admitida num programa de tratamento e sobreviveu. "Sem a ajuda que eles pediram e receberam, ela não teria conseguido", disse Susan.

Três anos depois, o marido de Susan perdeu o emprego. Ele também teve graves problemas de saúde. O período de desemprego estendeu-se por bem mais de um ano e a família de Susan foi forçada a viver de economias que desapareceram rapidamente. Embora Susan estivesse trabalhando, eles começaram a ficar muito assustados com a situação financeira.

Então, um dia, chegou um cartão pelo correio de uma mulher que Susan não conhecia. Era a mãe de Helen e avó da moça anoréxica. Ela escreveu dizendo que soubera que Susan e seu marido atravessavam um "período difícil" e queria ajudar. Acrescentou que sabia o que era ter dificuldades financeiras.

"Essa mulher surpreendente, que sozinha criara três filhos trabalhando em empregos mal pagos, enviou-nos um cheque de 2 mil dólares", disse Susan.

Quando a pessoa entende verdadeiramente o poder da gentileza, percebe que, tratando os outros com simpatia, respeito e generosidade, suas ações serão recompensadas de uma forma ou de outra – e com juros.

Agora você tem os princípios que poderão ajudá-lo a transformar sua vida. Nos capítulos seguintes, nós lhe daremos os instrumentos de que você precisa para começar a fazer o poder da gentileza trabalhar a seu favor.

Dica de gentileza:
Exercite os músculos da amabilidade

Todos os dias, durante a próxima semana, faça cinco coisas simpáticas que não tragam nenhuma recompensa imediata para você. Agradeça sempre, dizendo "obrigado" aos outros. Pergunte a quem encontrar como vai a vida. Será que sua faxineira tem netos? Doe dinheiro para obras de caridade. Cumprimente um estranho.

O sentido disso não é imaginar que o taxista a quem você deu uma gorjeta generosa algum dia dirigirá uma empresa importante. É, simplesmente, adquirir o hábito de ser gentil – e redescobrir como isso o faz sentir-se bem.

Dica de gentileza: Seja um "melhor ator coadjuvante"

A maioria de nós não pretende ser desatenciosa. Estamos apenas tão ocupados como protagonistas do nosso próprio filme que esquecemos de que todos os demais estão protagonizando os deles. Por isso é extremamente importante ver a nós mesmos como os outros nos vêem – como ator coadjuvante no filme *deles*. Então faça um levantamento de todas as pessoas da sua vida e pergunte a si mesmo que tipo de personagem você interpreta nos filmes deles. Você é a filha crescida amorosa e dedicada ou a distraída e ausente? O namorado doce e protetor ou o carente e egoísta? A quebra-galho do escritório ou a rainha do drama? Para cada relacionamento, escreva cinco maneiras pelas quais você pode tornar seu "personagem" mais simpático.

Dica de gentileza: Mire-se no exemplo das pessoas que você admira

Você admira pessoas que fazem trabalho voluntário? Que estendem a mão aos parentes e planejam fazer coisas juntas? Que apreciam e aconselham outras pessoas no trabalho? Que perguntam detalhes da vida de clientes e colegas e se lembram deles? Complete esta declaração: se eu fosse uma pessoa melhor, eu faria...

Tente moldar seu comportamento na pessoa que você gostaria de ser.

CAPÍTULO 3

Faça um bolo maior

Tony Hassini lembra-se do dia em que recebeu o telefonema de um mágico ainda desconhecido chamado Doug Henning. Hassini, ele próprio um mágico, possuía projetos detalhados de algumas das ilusões mais surpreendentes do mundo. "Henning telefonara várias vezes antes que conseguíssemos falar. Quando enfim conversamos, percebi que ele era um mágico com potencial para competir comigo. Minha reação inicial foi a de ser simpático, mas não revelar nenhum dos meus bem guardados segredos. Eu levara 10 anos e gastara muito dinheiro para juntar aqueles projetos e não os daria a ninguém", disse Hassini.

Ele manteve uma relação telefônica amistosa com Henning. "Dei-lhe algumas informações (nada de grande importância) e algumas idéias apenas para mantermos boas relações", revelou.

Na quinta ou sexta conversa que tiveram, Henning explicou que estava trabalhando num tipo muito diferente de espetáculo, um musical que teria uma história intensa em torno da magia e – o que era mais importante – acabaria com a velha imagem do mágico de "cartola e casaca". Em vez disso, Henning usaria cabelo comprido e roupas de colorido vivo. "Quanto mais eu escutava, mais achava que ele tinha chance de obter sucesso", disse Hassini.

Então Hassini enviou a Henning 14 projetos: "Eu poderia ter cobrado um bom dinheiro por aqueles segredos e pela minha consultoria. Mas decidi que ganharia mais com nossa relação, se o espetáculo fosse um sucesso."

A aposta de Hassini mostrou-se certa. O espetáculo de Henning estreou em Toronto e bateu recordes de bilheteria. Depois foi para a Broadway, onde ficou em cartaz durante quatro anos e meio, tornando-se, finalmente, a base para uma série de especiais de televisão que obtiveram sucesso fenomenal.

Henning, com a maior alegria, dividiu o bolo com Hassini, oferecendo-lhe lucrativos contratos de consultoria e ajudando a promover a organização de Tony, a Sociedade Internacional dos Mágicos.

A colaboração não apenas enriqueceu Henning e Hassini como renovou o perfil de todos os mágicos. Antes de Henning, o estereótipo do mágico era de um homem de smoking e luvas brancas tirando um coelho da cartola. Agora a magia estava na moda – e isso significou mais trabalho para os mágicos em geral.

Imagine se você fosse Tony Hassini quando Henning começou a telefonar. Você daria a ele seus preciosos segredos profissionais? O que nos ensinam é que a melhor maneira de obter sucesso na vida é guardar para nós mesmos o máximo que pudermos. Afinal, qual é a primeira regra da sociedade capitalista? Vença a competição; agarre seu pedaço do bolo antes que o peguem primeiro. Porque, se você não fizer isso, ficará apenas com as migalhas. Certo?

Errado. A vida não é um jogo em que, se a outra pessoa ganha, eu perco, ou vice-versa. Não há necessidade de discutir quem fica com o pedaço maior do bolo, só precisamos fazer um bolo maior.

Afinal, quem diz que o bolo é finito? Nossa capacidade para o amor também não é finita, como qualquer mãe ou pai sabe. Você tem seu primeiro filho e acha que seu coração não poderia ficar maior. Então tem o segundo e ele dobra ou triplica de tamanho.

Soa demasiado irreal? Bem, considere como a internet expandiu as oportunidades para todos. Habitualmente, quando se precisava de um novo emprego, as opções eram limitadas – poderia se procurar nos classificados dos jornais, visitar uma agência de empregos, talvez pedir ajuda a uns poucos amigos. Agora, temos uma série de recursos. Há sites que procuram empregos e toda grande empresa tem uma seção de "oportunidades de carreira" em seu site, que se pode acessar com alguns toques no teclado. Ou podemos simplesmente mandar o currículo por e-mail para contatos escolhidos, pedindo-lhes para passá-lo adiante, e ele vai se espalhar. A internet deu a todos uma rede enorme de conexões. Ninguém tem de "perder" contatos – as possibilidades aí são maiores para todos.

E quanto mais pessoas você incluir, melhor para você. Kathy Ireland, *top model* que virou empresária, percebeu isso depois que foi convidada a fazer um anúncio de uma instituição pública sobre cuidados pré-natais. Ela concordou em fazer o anúncio de graça desde que pudesse gravar também um trecho em espanhol. "Meu marido trabalha com situações de emergência e fala espanhol por necessidade – ele precisa dar informações fundamentais aos pacientes que falam espanhol. Então eu aceitei fazer o anúncio desde que pudesse fazê-lo também em espanhol, e não apenas em inglês, porque aquelas informações eram realmente importantes. E precisavam atingir o maior número de pessoas possível", diz Kathy.

Kathy fez a gravação bilíngüe porque era a coisa certa a fazer e não por qualquer motivação comercial. Mas, depois que o anúncio foi transmitido, ficou surpresa de ver quantas pessoas na comunidade latina se importaram com o anúncio – e como isso aumentou o interesse daquelas pessoas pela linha de roupas que produz. "Foi incrível. Nossos clientes latinos reagiram com muita força. Escreveram cartas e mandaram e-mails dizendo que estavam imensamente gratos pelo anúncio. Isso nos fez perceber o quanto eles eram mal atendidos", diz ela.

Por conta disso, a empresa de Kathy fez um esforço mais organizado em direção aos clientes latinos – por exemplo, imprimindo suas etiquetas tanto em espanhol quanto em inglês. "Isso ajudou muito a nossa marca a se expandir. Percebemos que nossos clientes se sentiam isolados e ignorados, e agora, ao lhes estendermos a mão, eles realmente adotaram a marca."

Fazer um bolo maior é a mais vitoriosa das situações. A pessoa consegue mais do que quer e se sente melhor com relação ao que está fazendo. Então, em vez de gastar toda aquela energia negativa correndo para agarrar uma fatia primeiro, pense em como alargar o horizonte e criar uma nova receita para o sucesso.

Ajude a dividir o bolo

Se você está desesperado para conseguir seu pedaço do bolo, por que iria se interessar em ajudar os outros a pegar a fatia deles?

Se Ernest Hamwi pensasse assim quando vendia *zalabia*, um waffle persa muito fino, na Feira Mundial de 1904, talvez terminasse seus dias como vendedor de rua. Hamwi notou que um vendedor de sorvetes das proximidades ficara sem recipientes para servir os fregueses. A maioria das pessoas torceria o nariz, pensaria "não é problema meu" e talvez até esperasse que o infortúnio do vendedor de sorvetes resultasse em mais clientes para si. Em vez disso, Hamwi enrolou um waffle e colocou uma porção de sorvete por cima, criando uma das primeiras casquinhas de sorvete do mundo. Ele ajudou seu vizinho – e, no processo, ganhou uma fortuna.

Essa é a maravilha de ajudar os outros a conseguir suas fatias – muitas vezes você ajuda a criar um bolo maior. Ao escolher orientar uma pessoa mais jovem, você pode descobrir novas idéias sobre os negócios que o ajudarão a esclarecer seus próprios objetivos e valores. Quando Shira Miller era a diretora de marketing de uma grande empresa de alimentação e nutrição, ela notou que uma das assistentes de vendas tinha muito talento. Decidiu levá-la para o setor de relações públicas e ajudá-la a desenvolver suas habilidades. Mesmo depois de sair da empresa para criar sua própria firma de relações públicas, Miller continuou a dar conselhos e dicas à moça. Agora, a ex-protegida de Miller é diretora de comunicações empresariais da Focus Brands, firma associada à Carvel Ice Cream and Cinnabon – e a Carvel é, atualmente, um dos clientes mais fortes de Miller. "Orientar e desenvolver meus empregados é algo que sempre me trouxe grande satisfação pessoal. Mas eu não tinha a menor idéia de que também me traria clientes!", disse Miller.

Partilhe seus recursos

Algumas vezes estamos tão concentrados em garantir o que já conquistamos – clientes, contatos, idéias – que nos esquecemos de que partilhar recursos com outras pessoas, equipes ou empresas pode resultar em lucro muito maior para todos.

Os executivos da The Breast Cancer Research Foundation (BCRF, Fundação de Pesquisas sobre o Câncer de Mama) descobriram isso depois que se decepcionaram com uma campanha de arrecadação de fundos. A BCRF foi a entidade beneficente fundadora de um programa que unia arrecadação de fundos e fidelidade do consumidor chamado Cartão da Cura. O cartão custava 25 dólares e dava ao consumidor descontos em várias lojas. Metade dos rendimentos do cartão ia para a fundação. O programa teve muito sucesso, mas no ano seguinte não atraiu novos varejistas.

Então eles tomaram uma atitude incomum – decidiram associar-se a outra entidade de pesquisas para a cura do câncer, a Susan G. Komen Breast Cancer Foundation. Isso significou engolir o orgulho – embora trabalhassem em favor da mesma boa causa, ainda competiam por uma parcela de dinheiro. Um novo cartão, chamado Amor Cura, foi criado, atraindo um grande parceiro varejista e obtendo enorme sucesso de vendas. Claro, a melhor notícia é que eles conseguiram mais dinheiro para ajudar na luta pela cura do câncer de mama. Mas, mesmo depois de dividir o dinheiro com a Komen Foundation, a The Breast Cancer Research Foundation ganhou mais do que se trabalhasse sozinha.

Quando a pessoa aprende a se libertar da mentalidade do "ou eu ou você", cria oportunidades para todos. Por exemplo, não faz muito tempo os executivos da Procter & Gambler perceberam que não havia motivo para fechar as portas a antigos empregados. "Historicamente, quem saía da Procter & Gamble se distanciava da empresa. As ligações eram cortadas e eles não faziam mais parte da família", diz Charlotte Otto, da P&G. Muitos ex-funcionários, porém, mantinham contato uns com os outros, criando redes informais. Quando A. G. Lafley se tornou diretor executivo da empresa, isso mudou, e a P&G começou a participar oficialmente das reuniões. Lafley percebeu que seus antigos empregados não eram traidores – ao contrário, eram aliados extremamente valiosos. "Nós nos beneficiamos imensamente com essa forte ligação com os antigos funcionários", diz Otto. Brent Bailey, ex-funcionário da P&G, se tornou presidente da Phamavite, empresa mais conhecida por suas vitaminas e suplementos alimentares Nature Madē e Nature's Resource. Em 2003, o contato com Bailey facilitou um acordo em virtude do qual a Procter & Gamble licenciou sua marca Olay, criando um ramo novo e bem-sucedido do negócio para a empresa, a Olay Vitamin.

Através da partilha de informações e idéias freqüentemente se chega a um caminho em que o resultado é muito maior do que a soma das partes individuais. Pensem no poder coletivo dos Beatles. Depois que a banda se desfez, John, Paul, George e Ringo partiram para respeitáveis carreiras solo. Mas nenhum deles jamais chegou perto do legendário sucesso do Fabulosos Quatro.

E, claro, alguns dos produtos de maior sucesso do mundo foram criados assim. O fabricante de chocolates suíço Daniel Peter passou anos tentando encontrar uma maneira de acrescentar leite ao produto para tornar mais leves sua textura e gosto – o leite comum não se misturava bem com a pasta de cacau. Então conheceu Henri Nestlé, um farmacêutico que havia criado um leite condensado adoçado para a alimentação de recém-nascidos. Isso era exatamente o que Peter precisava. E, desde então, nós passamos a nos deliciar com o chocolate ao leite.

Algumas vezes grandes colaborações demoram anos para se tornarem realidade. Por exemplo, quando o Dr. Spence Silver criou a cola para adesivos removíveis achou que era um fracasso. Silver tentava criar um adesivo ultraforte para a empresa em que trabalhava, a 3M. Em vez disso, descobriu uma cola muito fraca, que se grudava a quase tudo, mas era facilmente desgrudada. A invenção ficou na prateleira durante cinco anos. Até que um dia um colega de trabalho de Silver, Art Fry, estava ensaiando para o coro da sua igreja e se aborrecia porque seus marcadores de papel não paravam de cair. Lembrou-se do adesivo de Silver, colou-o numa tira de papel e – eureca! – nascia o Post It.

Espalhe a riqueza

Tendemos a pensar que o mundo natural é duro, cruel e implacável. O comportamento no mundo dos negócios é, muitas vezes, regido pela "lei da selva". Mas a cooperação é uma estratégia tão bem-sucedida para a sala da diretoria quanto para partilhar uma presa.

Considerem o morcego do tipo vampiro. No livro *As origens da virtude: um estudo biológico da solidariedade*, o autor Matt Ridley descreve como os vampiros procuram animais grandes com cortes e feridas abertas – a fonte de suas refeições diárias. Ora, os vampiros podem não ser criaturas calorosas e animadas, mas sabem como partilhar. Quando um morcego encontra uma boa fonte de comida, ele é incapaz de ingerir mais do que precisa; então divide sua fonte de comida com outro morcego. Sua generosidade será recompensada quando ele tiver um dia ruim, em que não encontre uma presa. O morcego que se recusa a repartir aprende rapidamente que não terá sangue quando precisar. Os vampiros não podem sobreviver, a não ser que partilhem.

Partilhar comida também tem sido uma característica central de quase toda a sociedade humana. Faz sentido. Afinal, o homem das cavernas que matava um mamute não conseguia comê-lo todo; então, partilhava a carne e, com isso, garantia a obtenção de comida quando outro homem tivesse melhor sorte.

Hoje não contamos mais com o nosso vizinho de porta para conseguir nossa próxima refeição, mas o instinto de partilha e cooperação continua presente em toda a civilização. Se os morcegos conseguem manter controle sobre quais animais dividem a presa e quais não, é certo que amigos e colegas de trabalho podem fazer o mesmo.

Como aponta o apresentador Jay Leno, guardar tudo para si não é sequer um bom negócio. "Se você comer o bolo inteiro, vai ficar doente. Então, coma o quanto desejar e dê o restante a outra pessoa", diz Leno. Quando Jay comemorou seu décimo aniversário à frente do programa televisivo *The Tonight Show*, arranjou uma maneira de dividir o sucesso com os companheiros de programa. Tirou dinheiro de sua conta bancária pessoal para dar a cada um deles mil dólares por ano trabalhado no programa. Pode até não parecer muito, mas a coisa muda quando se sabe que há 175 pessoas no espetáculo. Todos, dos funcionários de escritório aos produtores, receberam a gratificação. Isso significa muito. Quem estava no programa há, por exemplo, oito anos, recebeu 8 mil dólares de prêmio. "Em vez de apenas dizer 'obrigado', você está dando a eles algo mais sólido", diz Leno.

Para Yvon Chouinard, o fundador da empresa Patagonia, de equipamentos para atividades ao ar livre, dividir o bolo significa oferecer aos empregados os mesmos benefícios que o levaram a querer criar sua própria empresa. "Temos uma diretriz aqui – é chamada 'Deixe meu pessoal surfar'. Isso significa que, quando as ondas estão boas, qualquer um pode simplesmente surfar... Essa atitude muda a vida inteira da pessoa", contou Chouinard ao psicólogo Mihaly Csikszentmihalyi, em *Gestão qualificada: a conexão entre felicidade e negócio*.

Diríamos que Leno e Chouinard não estão apenas brincando de Papai Noel. Estão tomando decisões comerciais muito inteligentes. O principal motivo para os americanos deixarem seus empregos é não se sentirem valorizados, segundo o Ministério do Trabalho dos Estados Unidos.[1] Quando se sabe que uma empresa gasta o equivalente a 18 meses de salário para substituir um gerente ou outro profissional, ser flexível com os surfistas ou dar uma gratificação a cada década não é nada.[2]

Partilhe o crédito

Quando criamos nossa agência, queríamos mostrar ao mundo e aos céticos em geral que podíamos fazer uma empresa de muito sucesso e, mesmo assim, ir para casa almoçar com nossas famílias. Como fizemos isso? Aprendemos a relaxar. Tentamos não nos preocupar com quem recebe o crédito – só queremos continuar construindo nosso negócio, fazendo o bolo crescer. Naturalmente essa atitude nos ajudou a trabalhar melhor. Como disse Harry Truman, "é surpreendente o que você consegue quando não se importa com quem leva o crédito".

Todos queremos ser reconhecidos por nossas realizações. No fundo das nossas mentes, muitos de nós têm uma platéia imaginária que aplaude ou vaia nossos sucessos e fracassos. Mas isso é contraproducente. Para começar, porque não há platéia. Todos estão envolvidos demais em seus próprios dramas para se preocuparem, mesmo um pouquinho, conosco. Nas palavras do mestre budista do século XI Atisha Dipankara, "não espere aplausos".

Em segundo lugar, quando você deixa outros partilharem a propriedade de uma idéia, você cria uma comunidade de pessoas que alimentam e fazem crescer essa idéia até que ela se transforme em algo muito maior do que você um dia imaginou. Quem se importa se 10 pessoas acham que a idéia é "delas"? O resultado final será provavelmente 10 vezes mais estimulante do que se você ficar com todo o crédito.

Não se preocupe em fazer tudo grandioso

Quando Jennifer se juntou a um grupo de advogados voluntários em sua cidade natal, Savannah, Geórgia, ela não pretendia mudar o mundo. Entrou porque acreditava na missão da organização: ajudar pessoas com deficiências em seu desenvolvimento, uma de cada vez. Jennifer foi designada para ajudar Wendi, que sofria da síndrome de Hurler, uma doença de crescimento terrivelmente debilitante e terminal. Uma autorização judicial emitida pelo estado da Geórgia capacitou Wendi a receber os cuidados de enfermagem de que precisava em sua casa. Quando Wendi fez 10 anos, o estado cancelou a autorização. "Eles pretendiam colocá-la numa clínica da Flórida, onde ela não teria nenhum contato com a mãe, o irmão ou os avós", disse Jennifer.

Como a mãe solteira de Wendi trabalhava numa fábrica e teria dificuldades para dar conta do problema, Jennifer tornou-se advogada de Wendi, telefonando para as autoridades governamentais e defendendo sua causa. Até que Jennifer e a família de Wendi prestaram depoimento perante a junta de supervisão de apoio médico, em Atlanta, e conseguiram manter o tratamento doméstico de Wendi.

Ajudar uma criança doente é, sem a menor dúvida, um feito maravilhoso. Mas, ao fazer isso, Jennifer também ajudou um número incontável de outras crianças inválidas. O testemunho de amigos e parentes de Wendi ajudou a estender as autorizações de ajuda médica por todos os Estados Unidos.

Quando você começa a ajudar outras pessoas a obterem sua fatia do bolo, não precisa mirar em objetivos grandiosos. Não precisa mudar o mundo. Dedicando-se a preparar um bolo maior, você vai descobrir que não há limites para o que pode ser feito.

Dica de gentileza: Faça uma festa eclética

Faça uma reunião eclética, convidando pessoas de áreas de atuação diversas – sua irmã que trabalha em hotelaria, o engenheiro de programação que foi seu colega de universidade, uma amiga jornalista. Selecione pessoas que você acredita que poderiam se dar bem. Tenha em mente apenas proporcionar momentos agradáveis aos seus convidados. Depois sente-se calmamente e veja o que acontece durante a noitada. Você pode descobrir que sua amiga que trabalha numa floricultura é capaz de dar dicas a sua irmã sobre como atrair mais festas de casamento para o hotel – e, talvez, fornecer as flores!

Dica de gentileza: Importe-se com os outros

Como disseram os Beatles: "E, no final, a torta que você leva corresponde à torta que você assa." Ora, não foi exatamente isso que eles disseram, mas vocês entendem o que quero dizer. Em outras palavras, todas as vezes que alguém lhe der uma idéia, uma dica para o trabalho ou fizer um empréstimo – não deixe de passar isso adiante. Não precisa ser exatamente uma permuta. Se alguém em sua empresa com posição mais elevada do que a sua der um bom conselho, pense em passá-lo para uma pessoa de posição inferior que você gostaria de orientar. Se um competidor recomenda você para um trabalho que não pode aceitar, tente retribuir passando-lhe alguns contatos que valham a pena. Ou, simplesmente, faça alguma coisa simpática.

Visite um abrigo para idosos. Ou telefone para sua avó – ela está louca por notícias suas.

Dica de gentileza: Pare de contar vantagens

Com ou sem consciência, quase todos nós mantemos uma contagem permanente daquilo que temos para comparar com as posses de nossos conhecidos. Minha irmã ganhou um novo bebê, mas eu tenho uma vida social mais ativa. Minha melhor amiga ganha mais dinheiro, mas eu tenho um trabalho mais interessante. Mantemos em dia essa contagem e, na maior parte do tempo, nos sentimos ótimos – enquanto as coisas permanecem iguais. Mas por que não jogar fora o cartão de registro dos pontos e simplesmente viver nossas vidas sem ele (sem, de alguma forma, acreditar que o sucesso de outra pessoa significa nosso fracasso)? Ora, você pode. Sempre que sentir que perdeu, em comparação com o que obteve outra pessoa, dê mais a essa pessoa. Se estiver ardendo de inveja por causa da promoção de alguém, mande-lhe flores. Se sua irmã acabou de comprar uma magnífica casa de campo, faça um jantar para ela em seu apartamento. Por quê? Porque, quando você começa a agir como se vivesse na abundância, começa a ter a sensação de fartura. Quando começa a experimentar essa fartura, você não se preocupa tanto com o que os vizinhos têm.

CAPÍTULO 4

Adoce a negociação

Durante uma viagem de negócios de Los Angeles para Nova York, Rachel Pine notou que a tripulação do avião parecia extremamente cansada. Quando a aeromoça se aproximou para checar o cinto de segurança, Rachel ofereceu a ela um doce de um pacote que tinha nas mãos. "Ela aceitou e ficou tão agradecida que parecia prestes a se derramar em lágrimas", disse Rachel. Logo depois, a aeromoça voltou e pediu que Rachel a acompanhasse... até a primeira classe. A aeromoça então disse: "Você não tem idéia de como foi nosso último vôo. Se um só passageiro tivesse agido como você, o vôo teria sido suportável."

Do doce para a primeira classe – é surpreendente como pode ser imenso o impacto de um gesto ou comentário carinhoso. Para provar o sucesso em mais áreas da sua vida, jogue um pouco de açúcar de vez em quando. Elevar o moral das pessoas pode resultar em inesperadas recompensas. Pesquisas realizadas pelos psicólogos David G. Myers e Ruut Veenhoven mostraram que pessoas contentes costumam mais facilmente ajudar os outros; empregados satisfeitos têm maiores probabilidades de julgar favoravelmente um candidato a emprego que se submete a entrevista do que os insatisfeitos.[1] Provavelmente, você já percebeu isso. O fato é que reagimos favoravelmente quando são gentis conosco. Além disso, as pesquisas apontaram que quanto mais um empregado é feliz, mais produtivo e criativo ele será. "Sentir-se bem ativa a eficiência mental, tornando as pessoas mais aptas a entenderem informações e a julgarem questões complexas", escreveu o psicólogo Daniel Goleman em seu best-seller *O poder da inteligência emocional.* Goleman descobriu que sentimentos positivos no local de trabalho também fazem os empregados se comportarem de maneira mais ética e serem mais cooperativos em equipe. E, pelo fato de serem mais felizes, estarão menos dispostos a procurar emprego em outra empresa.

Da próxima vez que se encontrar com um novo cliente – ou com um velho amigo, é a mesma coisa –, por que não começar elogiando a aparência dele ou o traje dela? Algumas vezes esquecemo-nos de estabelecer comunicação com outra pessoa antes de nos lançarmos aos negócios ou ao assunto que queremos discutir. Em todos os encontros, apenas 7% da nossa comunicação são verbais. Os outros 93% vêm de sugestões não-verbais, como gestos e tom de voz. As pessoas raramente se lembram de quem fez o discurso mais enérgico numa reunião de negócios – mas se lembram de quem sorriu mais e de quem as tratou com simpatia.

Deixe que comam o bolo

Gail era uma designer autônoma com os típicos problemas da autonomia: muito trabalho, mas pouco dinheiro. Embora seu negócio fosse movimentado e suas faturas elevadas, seus clientes simplesmente não pagavam as contas. "Parecia que meu dinheiro ficava preso nas contas bancárias deles", diz Gail.

Gail tentou várias táticas para convencer os devedores a pagar

– desde cartas que diziam "por favor, me pague logo", enfeitadas com rostos sorridentes, a telefonemas diplomáticos –, mas nada funcionou. Desesperada, ela teve casualmente uma idéia que se revelou brilhante e eficaz: suborná-los com coisas para comer. "Eu enviava lembretes de contas vencidas há muito tempo junto com uma tentação – se pagassem as contas até uma data especificada, eu os recompensaria com *cookies*, *brownies*, bolos recém-preparados, qualquer coisa que quisessem. E funcionou."

Freqüentemente, agimos como se os negócios fossem coisas muito complicadas, convencendo-nos de que nossas diretrizes têm de ser ultra-racionais e nossa abordagem high-tech. Concentramos a atenção em nossas técnicas de negociação e proezas intelectuais. Falamos muito sobre nossas habilidades ou mencionamos casualmente o nome da prestigiosa universidade que freqüentamos. Esquecemo-nos de que, algumas vezes, um simples atrativo ou recompensa pode funcionar melhor do que os sistemas mais sofisticados. Ter mestrado em Harvard ou em Wharton é ótimo, mas há ocasiões em que um diploma de luxo simplesmente não consegue equiparar-se a um simples copo de limonada gelada.

Ou uma Cherry Coke. Antes de entrevistar Warren Buffet para um anúncio radiofônico da Bolsa de Valores de Nova York, Linda leu, em sua biografia, que ele adorava Cherry Coke a qualquer hora do dia ou da noite. Ele também tivera um grande lucro com ações da Coca-Cola – o que, em geral, gera na pessoa uma sensação agradável e indefinida relacionada à marca. Então, pouco antes da entrevista, Warren recebeu seu refrigerante favorito. Ele olhou para a lata e sorriu. "Linda", ele disse, "vou dizer a você qualquer coisa que quiser saber simplesmente porque você me trouxe este refrigerante."

Quanto custou o refrigerante? Um dólar? O fato é que esse gesto simples resultou no acesso a uma das mentes mais brilhantes do mercado de ações.

Da próxima vez que alguém próximo a você estiver mal-humorado ou irritadiço, tente dar-lhe uns chocolatinhos ou uns bombons. Embora os cientistas não tenham desvendado completamente os mistérios do chocolate, eles sabem que essa guloseima contém vários compostos orgânicos que produzem sensações de bem-estar no cérebro humano. O triptófano encontrado no chocolate, por exemplo, capacita o cérebro a criar serotonina, um composto orgânico que pode produzir sensações de alegria e êxtase. E a feniletilamina estimula os centros de prazer do cérebro e produz muitas das sensações da paixão, inclusive tonteira, atração e excitação.[2]

Mas não é preciso ser biólogo ou químico para perceber isso. Foi um dos nossos talentosos diretores de arte, Whitney Pillsbury, quem sugeriu dar chocolate aos clientes. Ele lembrou que sempre parecíamos apreciar mais suas idéias quando estávamos mastigando os M&Ms que ele levava para as reuniões. Vários quilos depois, começamos a usar essa deliciosa manobra com nossos clientes, mimando-os com doces antes de apresentarmos nosso trabalho. Seja por causa dos doces ou da nossa hospitalidade, nossos clientes pareceram mais receptivos a alguns dos nossos pensamentos mais ousados. Agora expandimos nossas ofertas com a inclusão de *brownies* e *cookies* (e trufas Godiva para as contas realmente difíceis!).

Faça cócegas neles

Todas as manhãs, na empresa Electrical Products of India, os empregados reúnem-se para rir. Os gerentes da empresa contaram ao consultor de empregos Michael Kerr que a sessão diária de riso aumentou a produtividade, melhorou as relações entre os empregados e reduziu as doenças relacionadas com o estresse, inclusive dores de cabeça e resfriados.

Pode parecer tolice, mas Daniel Goleman diz que pesquisas sobre o humor mostram que as piadas e risadas no local de trabalho ajudam a estimular a criatividade dos empregados e melhoram a comunicação e a confiança. Numa negociação, a troca casual de gracejos aumenta a probabilidade de concessões financeiras.

Tem medo de que fazer piadas no trabalho possa impedir que você seja levado a sério? Pense melhor. A pesquisa de Goleman mostra que os líderes que mais se destacaram (com base no desempenho financeiro e na avaliação de colegas e patrões) tendiam a fazer um número três vezes maior de comentários espirituosos do que os executivos com índices médios. Isso não significa que você precise ensaiar para virar cômico ou que comece a usar traje de palhaço para trabalhar. Como observa Goleman, o mais efetivo humor empresarial não vem das piadas tradicionais, mas de brincadeiras amistosas e espirituosas.

Espalhe o açúcar

Helene Stapinski estava sentada em um restaurante da moda, em Los Angeles, esperando para fazer uma apresentação de seu primeiro livro, a história de sua família e suas trapaças. Ela começou o dia nervosa, mas naquele momento estava aterrorizada. A pessoa que se apresentou imediatamente antes dela era brilhante, um ator especializado em interpretar tipos excêntricos, que fez a audiência rolar de tanto rir. Helene também riu, mas estava arrasada. "Eu não parava de pensar: 'O que eu posso fazer depois desse sujeito?' Era um pesadelo", disse Helene. Afinal, o livro de Helene tinha uma porção de piadas e partes engraçadas, mas jamais tivera a intenção de ser uma comédia.

Quando Helene se levantou para ler, descobriu que jamais tivera uma platéia tão receptiva e compreensiva. "Eles riam de coisas que nunca haviam provocado riso em nenhuma outra platéia – coisas que *eu* jamais pensara que fossem engraçadas", disse Helene.

Helene descobriu algo que os comediantes profissionais conhecem bem – as platéias não têm uma quantidade finita de bom humor. Ao contrário, quanto melhor for a abertura, mais eles gostarão do que vier a seguir. É por isso que os teatros têm um número de aquecimento antes de entrar em cena a atração principal. Qualquer um que já assistiu ao vivo a transmissão de um programa como *The Tonight Show* ou *The Late Show* sabe que o verdadeiro desempenho não começa com o monólogo de Jay ou Dave. Antes que as câmeras comecem a rodar, um comediante se apresenta para a platéia a fim de aquecer o pessoal para que Leno ou Letterman possam subir ao palco. Os produtores sabem que o ato de abertura não "esgota" quem ri; em vez disso, serve de estímulo para que as risadas da platéia fluam com mais facilidade.

Como disse certa vez um estudioso do Talmude, não obteremos mais se não dermos o que temos. Todos temos uma xícara de açúcar dentro de nós. Então por que não a repartimos um pouco? Você descobrirá que seu suprimento é reabastecido repetidas vezes.

Sorria

Pense na última vez em que brincou com um bebê. Quando você colocava as mãos sobre os seus olhos, ele fazia a mesma coisa. Imitar é um comportamento humano natural. Através da imitação, nossa espécie é capaz de aprender, comunicar e se identificar com os outros. Nossa tendência natural para a mímica faz com que muitas vezes "captemos" o humor uns dos outros. É por isso que você pode sentir-se ansiosa quando o seu marido se estressa por causa de uma visita à mãe, e também é por isso que o funcionário recém-contratado, descontraído e animado, pode mudar a energia de um escritório.

A boa notícia é que as emoções positivas são mais contagiantes do que as negativas. Um estudo da Escola de Administração da Universidade de Yale mostrou que a alegria e a cordialidade se espalham muito mais depressa pelo escritório do que a irritabilidade e a depressão. Qual a melhor maneira de espalhar esses bons sentimentos? Com um grande sorriso cheio de dentes, o gesto mais contagioso de todos.

Linda percebeu isso depois que exibiu os dentes recém-reparados:

Desde menina, nunca tive os dentes perfeitamente alinhados que via nas revistas. Cresci sem sorrir muito. Simplesmente detestava meus dentes. Então, mandei colocar revestimentos de porcelana e, três meses depois, tinha os dentes brilhantes, de um branco perolado, com que sempre sonhara. Agora havia muita coisa de que sorrir e comecei a rir o tempo inteiro. Quando meu marido levava o lixo para fora, eu dava um amplo sorriso. Quando minha assistente me entregava o café matinal, eu disparava um deslumbrante sorriso de agradecimento. Excetuando a vez que compareci ao funeral de uma tia idosa, fiz de cada encontro uma desculpa para sorrir. Resultado: todos em torno de mim começaram a sorrir comigo. Os encontros com clientes se tornaram mais amigáveis, as negociações mais simpáticas, os colegas de trabalho se sentiram mais valorizados. E qual foi o melhor resultado? Um ano depois, Robin foi ao mesmo dentista, Dr. Robert Sorin, e agora tenho a mais feliz sócia que se possa imaginar.

Quando sorri para as outras pessoas, você as "contamina", literalmente, com felicidade. O psicólogo Fritz Stack descobriu isso quando fez os participantes de um estudo segurarem um lápis com os dentes, o que ativou-lhes os músculos do sorriso. Quando sorriam, os participantes achavam os desenhos mais engraçados do que quando estavam sérios. Conclusão: é muito mais fácil tornar seu cliente, patrão ou marido mais receptivo às suas idéias se você as expuser com um sorriso.

Dê um presente

Já imaginou por que os vendedores de automóveis freqüentemente oferecem flores e até aparelhos de DVD quando você compra um carro novo? O motivo é simples: o pequeno presente fará você gostar mais da grande aquisição. Estudos mostraram que os clientes que receberam um presente após fazerem uma grande compra, como a de um carro ou de uma televisão, informaram estar mais satisfeitos com o produto do que os clientes que não o receberam.[3]

Nossa amiga Geraldine Laybourne, superintendente e fundadora da rede Oxygen e uma das pioneiras da indústria da televisão a cabo, descobriu isso quando tentava fazer com que sua rede fosse adquirida pela EchoStar Communications, operadora da TV por satélite DISH Network. "Trabalhávamos no acordo há anos e chegamos perto muitas vezes", diz Laybourne. Mas o acordo sempre abortava. Ela estava frustrada, mas manteve um relacionamento cordial com o superintendente da operadora, Charlie Ergen, trocando e-mails e visitando a EchoStar com outros funcionários da Oxygen para dar dicas sobre as telespectadoras. Mas talvez o movimento mais inspirado de Laybourne tenha sido o mais simples. Depois que a EchoStar lançou uma campanha publicitária na qual porcos apareciam com grande destaque, o escritório de Laybourne lançou sobre a firma uma chuva de produtos suínos – bacon pré-cozido na segunda-feira, presunto na terça, costeletas na quarta – e um bilhete que dizia: "Ganhe as partes de porco que quiser, assine contrato com a Oxygen."

Ergen gostou dos presentes, e mesmo assim não houve acordo. "Não funcionou, mas ele viu que éramos criativos – sempre positivos, sempre divertidos." Então, cerca de dois anos depois, a EchoStar teve uma disputa litigiosa em torno de aumento de taxas com outra rede feminina. Os diretores da EchoStar imediatamente chamaram a Oxygen. "Disseram que queriam fazer negócio conosco porque nós éramos positivas e, embora por vezes tivéssemos ficado frustradas, seguimos com uma abordagem 'simpática' e continuávamos a tentar ainda com mais ênfase", disse Laybourne. No início de 2006, a Oxygen fechou um contrato com a EchoStar que a levaria a no mínimo sete milhões de lares. Como se vê, um pouquinho de bacon pode levar longe.

Elogie

Certa vez, um rapaz perguntou a Abraham Lincoln se ele ficava irritado com os constantes pedidos de autógrafo. "Os homens suportam muita coisa quando são lisonjeados", respondeu o presidente.

As palavras de Lincoln são tão verdadeiras hoje quanto eram em seu tempo. Todos adoramos um elogio. E, no entanto, somos bem parcimoniosos em fazê-los. Linda lembra:

Quando eu trabalhava em outra agência, comprei um lindo terninho. Fiquei realmente orgulhosa com a compra. Acabara de ter um bebê e tentava recuperar a antiga forma. Eu me senti muito bem nesse terninho. Mas, ao longo do dia, ninguém me disse nada a respeito dele. Fiquei muito desapontada. Afinal, perguntei a um dos meus colegas por que ninguém falara do terninho. Ele me olhou secamente e disse: 'Pode acabar em processo.'"

Em outras palavras, as pessoas tinham *medo* de fazer até os mais inocentes elogios, temendo que uma palavra gentil sobre uma blusa ou penteado pudesse ser mal interpretada. Todos precisamos nos alegrar. Se você disser constantemente ao seu assistente 20 anos mais moço que ele tem músculos maravilhosos, então, claro, talvez ouça algumas queixas. Mas, na maioria dos casos, dizer a um companheiro que ele está com bom aspecto ou que tem uma personalidade magnética quase sempre produz ótimos resultados.

Algumas pessoas deixam de elogiar porque têm medo de que pareça falsidade ou bajulação.

Mas deixe que lhe digamos uma coisa: se você está preocupado com a possibilidade de que um elogio seu vá parecer falso ou condescendente, isso provavelmente não acontecerá. O próprio fato de estar preocupado com isso significa que você não é um puxa-saco e não dará essa impressão.

Mas e se você é um adorável rabugento que chocaria seus amigos e colegas se, de repente, começasse a distribuir chocolates e elogiar seus cabelos? Ora, o bom dessa história de adoçar o ambiente é que basta uma pitada de açúcar para fazer isso. E se você é conhecido como ranzinza, qualquer elogio ou risada seus serão ainda mais significativos. Karen, a presidente de uma empresa de médio porte, tem um temperamento explosivo. Quando ficava muito estressada, era grosseira com as pessoas em torno dela. Tentava controlar seus comentários e seu comportamento, mas, no calor do momento, não conseguia se conter.

Então Karen aprendeu a compensar isso. Passou a sempre se desculpar quando o mau humor tomava conta dela. Mais importante, passou a elogiar seus empregados constantemente – e não era apenas um "belo trabalho". Segundo um ex-empregado de Karen, "quando seu desempenho era bom, Karen fazia você se sentir a pessoa mais inteligente e talentosa do mundo. Ela nos enlouquecia de tantos elogios e isso nos fortalecia para as ocasiões em que era cruel ou muito crítica. Podíamos tolerar isso porque ela antes já nos enchera de confiança."

Karen continuou fiel à sua personalidade "esquentada", mas passou a fazer, ao mesmo tempo, comentários gentis. O poder da gentileza vem da *bondade*, não da *falsidade*.

Dica de gentileza: Sorria

Estudos mostram que o simples ato de sorrir fará com que você se sinta realmente mais feliz, o que acontecerá também com as pessoas à sua volta. Então tente adquirir o hábito de sorrir mais. Como prática, sorria para estranhos que encontrar na rua. Se você mora em uma cidade muito populosa, onde há constantemente gente passando, escolha uma pessoa em cada quarteirão. Comece com crianças. Depois, sorria para adultos que parecerem amistosos e receptivos. Após algum tempo você estará preparado para sorrir até para as pessoas com um ar mais antipático. Ele ou ela podem ou não retribuir o sorriso, mas a questão não é essa. Você quer chegar ao ponto em que, para você, sorrir seja tão natural quanto respirar.

Dica de gentileza: Imite os mestres

Você não precisa ser um comediante profissional para fazer as pessoas rirem, mas observar os mestres do riso pode ajudar. Estude suas comédias cinematográficas favoritas ou os programas humorísticos na televisão; memorize não apenas as piadas, mas o ritmo e a cadência. Depois repita tudo para amigos e colegas. A questão não é roubar material – você sempre pode dar crédito à piada na hora em que a está contando –, mas praticar a arte de fazer os outros rirem. (Claro, não é uma coisa ruim associar-se também ao espírito e à sabedoria de um Jon Stewart ou um Will Ferrell.) Um toque de advertência: este hábito pode levar ao excesso de esforço, que estraga tudo. Se você imitar repetidas vezes a voz anasalada do seu personagem favorito do *Saturday Night Live*, a diversão dos seus colegas vai desaparecer rapidamente.

Dica de gentileza: Ofereça um doce

Mantenha um suprimento de guloseimas em sua escrivaninha ou nas proximidades. Quando as pessoas que vierem vê-lo parecerem tensas, cansadas, mal-humoradas, abra sua gaveta e dê um docinho a elas. (Biscoitos caseiros funcionam ainda melhor.)

CAPÍTULO 5

Ajude seus inimigos

Quando Marla se empregou na indústria da televisão, ela tinha um patrão terrível. "Ele costumava fazer seu pessoal trabalhar até o esgotamento, literalmente. As pessoas pediam demissão porque estavam exaustas, e ele contratava um novo grupo", diz Marla. Ele agia como um senhor de escravos. A certa altura, contratou uma enfermeira para dar injeções de vitamina B12 nos seus funcionários a fim de mantê-los saudáveis para trabalharem mais.

Os anos passaram e Marla deixou o setor de desenvolvimento do negócio e foi para o setor da produção. Agora era uma executiva do alto escalão de um dos maiores estúdios de Hollywood. Você pode imaginar a surpresa que Marla teve quando, tempos depois, soube que seu antigo patrão agora estaria dependendo *dela:* a mesa fora virada, agora ela tinha o poder de aceitar ou rejeitar os projetos do ex-patrão. "Ah, que delícia! Que emoção! O terrível poder de fazer com ele o que ele fizera comigo e com todo o resto do pessoal da sua equipe! Mas, depois, ouvi a voz da minha mãe, lá dentro da minha cabeça: *Mate-o com a gentileza.*" Foi exatamente o que ela fez. "Era visível a suspeita em seu olhar quando me ofereci para ir pegar pessoalmente o seu café, em vez de mandar minha assistente. Ele ficou realmente nervoso quando perguntei sobre seus filhos", disse ela. "E depois deixei que ele apresentasse o projeto com o maior empenho, enquanto eu ouvia atentamente."

Para alívio de Marla, o projeto era terrível, o que tornou fácil para ela rejeitá-lo honestamente. Mas ela escreveu um bilhete cortês ao ex-patrão, agradecendo o seu empenho e assegurando que ele seria sempre bem recebido na apresentação de novos projetos.

Anos depois, Marla descobriu-se trabalhando num acordo muito importante com a televisão. "Eu adorava aquele projeto. Sabia que, se conseguisse os direitos dele, isso levaria minha carreira para um outro patamar", disse Marla. Ela ficou desconcertada quando percebeu que apresentaria o projeto ao seu antigo patrão! "Dessa vez era ele quem estava investido de poder; mas, tendo sido tão gentil com ele, eu mudara o relacionamento", disse Marla. "Embora tenha certeza de que ele jamais ganhará nenhum prêmio de etiqueta, na verdade ele me demonstrou o respeito adequado e – o mais importante – aceitou o acordo de que eu precisava! Nunca fiquei tão satisfeita de ter ouvido as palavras de mamãe e resistido ao impulso de vingança."

Marla adotara um princípio que tem nos ajudado imensamente ao longo das nossas carreiras e das nossas vidas: ajudar seu adversário pode ser uma das coisas mais valiosas que você faz a si mesmo.

Vivemos a cultura de o que importa é vencer. Por qualquer ângulo que observemos, veremos que só pode haver um presidente, um ganhador do Oscar para o melhor filme, um atleta de decatlo recebendo a medalha de ouro. E, apesar de eventos como esses ganharem manchetes de primeira página, a maior parte da vida não é assim tão preto-no-branco. Pouquíssimas mulheres obterão o prêmio de Melhor Esposa do Bairro em papel de coadjuvante.

Nossa cultura instiga a que nos lancemos uns contra os outros. Os homens de negócio lêem jornais de economia para descobrir como suas empresas aparecem diante das competidoras. Os pais se empenham em batalhas ferozes para conseguir colocar seus filhos nos melhores jardins-de-infância. Encaramos como inimigas as pessoas que vão atrás das mesmas coisas que nós. É por isso que, quando sabemos da boa sorte dos outros, algumas vezes descobrimos que nos sentimos meio vazios. Quando vemos que os adversários se saem mal, sentimos uma satisfação perversa.

Mas quem é o inimigo? Há muito poucos indivíduos neste mundo que poderíamos realmente identificar como inimigos. Concordamos quanto a Osama bin Laden, mas, na maioria, aqueles que consideramos "inimigos" são apenas pessoas que machucaram nossos egos, como o colega de trabalho que vence a disputa por uma promoção ou o namorado que teve a coragem de nos deixar. É por isso que o divórcio pode tornar-se uma coisa tão terrível. Ninguém realmente se importa com quem vai ficar com a coleção de CDs dos maiores sucessos de Barry Manilow – as ex-esposas só brigam porque o orgulho delas foi ferido.

Quando você aprender a se livrar do orgulho e parar de se preocupar com contagens, descobrirá que, de fato, vai se sair muito melhor. Porque a maior parte da vida não é essa coisa de eu contra você. Quase todo o tempo trabalhamos em equipe. Cooperamos. É isto a civilidade. Pode haver um único presidente, mas são necessários 535 membros do Congresso para cuidar do Legislativo. Você e seu colega de trabalho podem empenhar-se numa competição amistosa para ver quem consegue vender mais, mas é para o resultado final da empresa que ambos precisam dar o melhor de si se desejam ver subir a receita da companhia e o preço das ações.

A maneira como os integrantes do elenco do programa de sucesso na TV *Friends* renovavam seus contratos serve como um grande exemplo. Eles perceberam que poderiam aumentar o poder de negociação – e o saldo bancário – se negociassem os salários em grupo, com todos recebendo pagamentos iguais. Poderia ter sido uma grande guerra de egos, com Jennifer Aniston e Lisa Kudrow disputando a condição de maior estrela do programa. Em vez disso, pararam de disputar vantagens e estenderam a duração do show. E, claro, tiveram enorme sucesso!

Por que a cooperação vence a competição

Para entender melhor por que a cooperação é uma estratégia tão poderosa, pense sobre uma experiência psicológica familiar chamada "O dilema do prisioneiro". Na experiência há dois jogadores e um banqueiro. Cada jogador recebe duas cartas de baralho. Uma carta diz "coopere" e outra diz "traia". Cada jogador tem de decidir se cooperará ou não, sem saber o que o outro fará. Se ambos os jogadores cooperarem, cada um deles receberá 300 dólares. Se ambos traírem, cada qual será multado em 10 dólares. Há, portanto, um incentivo à cooperação *se o outro jogador fizer a mesma escolha.* Entretanto, se um jogador cooperar e o outro trair, o traidor ganhará 500 dólares e o cooperativo recebe "o pagamento do mau caráter" – uma multa de 100 dólares.

De início, pode parecer que trair é a melhor escolha, pois resulta na maior recompensa e na menor multa. De fato, trair é a melhor escolha *se você jogar apenas uma vez*. Mas os pesquisadores descobriram que, quando as pessoas jogavam muitas vezes, elas começavam a cooperar. O jogo é de autopoliciamento – ninguém pode trair por muito tempo sem que o outro jogador o castigue, traindo também. Os jogadores rapidamente percebem que a melhor estratégia para garantir o sucesso é desistir da grande recompensa de 500 dólares e buscar sempre a de 300 dólares.[1]

Qualquer pessoa que já tenha comprado ou vendido algo no eBay entende esse princípio. Digamos que você está tentando vender um jarro antigo da sua avó, que é lindo mas tem uma grande rachadura na parte de trás. Se você deixar de mencionar o defeito, obterá um preço mais alto pelo jarro. Porém, se fizer isso, nem pense em tentar vender mais nada no site, porque a eBay criou uma maneira de punir os trapaceiros e recompensar os que cooperam – o formulário com perguntas sobre a venda. Compradores e vendedores postam, rotineiramente, avaliações sobre suas transações, dizendo se acharam que a outra parte foi honesta e se foi bom fazer negócio com ela. Quem comprou o jarro danificado vai, sem dúvida, informar que o vendedor trapaceou na descrição do produto, e este descobrirá que restarão pouquíssimas pessoas dispostas a negociar novamente com ele.

Na eBay, como na vida, a traição só funciona a curto prazo. Porque, na vida, você não lida com o outro apenas uma vez. O que costumamos fazer quando vamos encontrar um potencial novo parceiro de negócios ou alguém que não conhecemos? Recorremos ao Google. Em nossa era de informação instantânea, simplesmente não podemos tratar mal os outros e nos darmos bem. Da mesma forma, nosso sistema de comunicação também pode ajudar alguém que tenha uma reputação intocável a impressionar tanto amigos como desafetos.

A seguir estão algumas das estratégias que aprendemos ao longo dos anos para cooperar com os outros e transformar até inimigos em aliados e amigos.

Concentre-se em sua própria atuação

Como ávida esquiadora no gelo, Robin sabe que a melhor maneira de ganhar é se concentrar em sua própria atuação. Os esquiadores sabem que não é bom olhar para os competidores, porque não há nada que você possa fazer para melhorar ou piorar a maneira como outra pessoa esquia. Para ganhar, você depende apenas da própria atuação. Qualquer tempo gasto pensando "Ora, ela vai fazer isso, então farei aquilo" não passa de energia desperdiçada. Desgasta sua confiança. E a verdade é que, se sua competidora cai ao fazer uma pirueta complicada, isso não ajudará você a fazer a mesma pirueta.

Cada um de nós tem um volume finito de energia para gastar diariamente. Como você quer usar essa energia? Aperfeiçoando seu jogo ou tentando atrapalhar o dos outros? Todas as vezes que entra no ringue com um adversário, você desvia seu olhar do prêmio. Gastar seu tempo lutando contra alguém é a maneira mais rápida de perder negócios, porque você não está mais tentando construir alguma coisa. Está gastando sua energia para destruir outra pessoa. Isso é exaustivo e não leva a parte alguma.

Descobrimos como a regra do esqui se aplica tão bem aos negócios quando uma grande empresa do setor da alimentação convidou a The Kaplan Thaler Group e outra agência a fazerem propostas para um novo negócio.

O cliente queria que trabalhássemos de forma colaborativa e partilhássemos as informações. Então comparecemos juntos a sessões de debates e pesquisas, embora desenvolvêssemos nossas campanhas separadamente, pois estávamos competindo entre nós pelo trabalho. Mas a parte essencial do acerto foi a seguinte: o cliente queria que uma pessoa coordenasse o fluxo de informações – garantindo que todo mundo recebesse todos os e-mails, faxes, programas de encontros, etc. –, e eles deram essa responsabilidade a Robin:

Claro, supunha-se que eu fosse objetiva, mas como eu poderia ser completamente objetiva? Eu tinha o poder de escolher as informações que partilharia com a outra equipe. Eu podia decidir quais as reuniões em que eles seriam incluídos – e aquelas em que não seriam. Bastaria apenas um "Poxa! Você não recebeu meu e-mail? Que estranho!".

Estávamos muito nervosos quanto a ganhar a conta; as pessoas da outra agência eram muito inteligentes e talentosas. Mas tomamos uma decisão crítica logo de início. Não podíamos nos permitir gastar um só segundo desviando nossa atenção da tarefa. Qualquer tempo gasto imaginando como passar para trás nossos competidores ou criando manobras para afastá-los não faria mais do que aumentar nossas chances de perder. Assim, decidimos partilhar todas as informações e convidá-los para todos os encontros.

Também mantivemos nossas bocas fechadas quando ouvimos que um dos executivos da agência concorrente voou até o escritório do cliente, na Costa Oeste, a fim de manter uma "reunião secreta" com o vice-presidente executivo. Tiramos a política de nossas cabeças e simplesmente continuamos trabalhando.

Então veio o momento da verdade: recebemos o telefonema e ganhamos o negócio facilmente. Embora a outra empresa tivesse uma forte relação anterior com o cliente, no final foi o trabalho – não a política – que nos fez ganhar o negócio. Também ganhamos a admiração do cliente por nossa capacidade de trabalhar tão bem com um competidor.

Sem dúvida, há ocasiões em que ter um adversário pode instigar-nos a seguir em frente. É verdade que os corredores se empenham mais nas competições do que nos treinos. Mas, mesmo numa corrida disputada palmo a palmo, há uma maneira "gentil" de se comportar. Pensem na famosa colisão entre Mary Decker e Zola Budd na final feminina dos 3.000 metros dos Jogos Olímpicos de 1984. A norte-americana Mary Decker era a favorita, mas a sul-africana Zola Budd, que corria pela Inglaterra, também era uma forte adversária. No marco dos 1.700 metros, Budd inadvertidamente esbarrou em Decker, fazendo com que ela caísse. Budd continuou correndo, enquanto Decker jazia na pista, em prantos. Budd chegou em sétimo lugar, sob vaias da platéia. Ela nunca se recuperou dos danos que aquilo causou à sua reputação. Pensem em como a vida de Budd seria diferente se, naquele átimo de segundo, ela parasse e tentasse ajudar Decker a se levantar. Ela não ganharia o ouro, mas seria uma heroína no mundo inteiro.

Elogie os adversários

Num painel do Clube Nacional de Imprensa, em 2005, ouviu-se Newt Gingrich elogiar a senadora Hillary Clinton, dizendo coisas como "A senadora Clinton está inteiramente certa" e "Hillary foi corretíssima na direção que traçou!".[2]

O que houve? Em meados dos anos 90, Gingrich, como líder da maioria na Câmara Legislativa, arrasou as propostas relativas à saúde feitas por Clinton e pediu o seu impeachment. E agora, de repente, ela e ele são os melhores amiguinhos?

Acontece que os dois antigos rivais concordam em muitas questões referentes às políticas de saúde e às questões militares. Haveria maneira melhor de chamar a atenção para as mensagens deles do que a formação desse estranho casal?

Newt e Hillary perceberam que, nesses casos, era mais lucrativo trabalharem juntos do que tentar derrubar o competidor. E, embora não nos enganemos achando que isso indique uma trégua permanente entre democratas e republicanos, se Newt e Hillary podem trabalhar juntos por algum tempo, claro que todos podemos procurar pontos em comum com os chamados inimigos.

Os altos escalões da Sony e da Samsung também perceberam isso. Os dois fabricantes de produtos eletrônicos competiram ferozmente durante anos. De fato, o sucesso dessas duas empresas é questão de orgulho nacional para o Japão e a Coréia, seus respectivos países. Por causa disso, muitos ficaram surpresos quando as duas empresas começaram a trabalhar *juntas* para criar aparelhos de televisão com tela plana. Os dirigentes das duas empresas decidiram que cada uma delas poderia beneficiar-se com as forças da outra. A Samsung tem tecnologias mais avançadas, mas a Sony é mais hábil na aplicação dessas tecnologias aos bens de consumo. Trabalhando juntas, ambas as empresas estão melhorando a qualidade de seus produtos.[3]

Quando se supera a idéia de que para cada vencedor é preciso que haja um perdedor, coisas surpreendentes podem acontecer. Vejam os Três Tenores. O mundo da ópera é conhecido por suas divas; quem poderia imaginar que se poderia colocar os três maiores astros da ópera juntos em um palco? Mas, quando Luciano Pavarotti, Placido Domingo e José Carreras compartilharam a cena, eles só aumentaram sua fama, criando o álbum de música clássica mais vendido da história.

Trate os adversários de hoje como aliados de amanhã

Durante a guerra americana pela independência, George Washington insistiu para que seus soldados tratassem bem seus prisioneiros. Até os próprios prisioneiros ficaram chocados ao receber um tratamento tão humano. Em *Washington Crossing* (A travessia de Washington), o historiador David Hakett Fischer cita uma das ordens de Washington ao tenente-coronel Samuel Blachley Webb: "Você deverá encarregar-se dos soldados do exército inglês... Trate-os com humanidade e não deixe que tenham nenhum motivo para se queixar de que imitamos o brutal exemplo que o exército inglês deu ao cuidar de nossos infelizes irmãos... Proporcione a eles tudo o que for necessário."

Washington não se mostrava apenas um sujeito de idéias grandiosas. Ele sabia que aqueles prisioneiros poderiam estar entre os primeiros cidadãos dos recém-surgidos Estados Unidos da América. Queria que eles se afastassem dos colonizadores. E, depois da guerra, foi exatamente o que muitos deles fizeram.

O pai dos Estados Unidos tinha um pensamento muito mais avançado do que a maioria de nós. Porque, em nossa cultura altamente competitiva, é fácil esquecer que as pessoas mudam de lado o tempo inteiro. Seu jogador de beisebol favorito, da sua cidade natal, assina contrato com o maior rival do time. Seu melhor amigo no escritório trabalhava para o competidor direto da empresa. Porém, ainda batemos o pé, agindo como se nossos adversários fossem eternamente inimigos radicais.

Na vida real, a relação adversário/aliado está sempre mudando. Por exemplo, em nosso negócio competimos diretamente contra outras agências para conseguir trabalho. Mas também aprendemos que essas agências podem ser amigas muito valiosas. Então, embora entremos em disputas umas com as outras por certas contas, também é freqüente nos ajudarmos mutuamente orientando sobre contas pelas quais não podemos competir. Nossos amigos da Leo Burnett nos encaminharam para o U.S. Bank quando não podiam conseguir esse negócio. Encaminhamos uma empresa aérea para o nosso amigo Kevin Roberts, da Saatchi, pois já temos a conta da Continental Airlines.

Nos negócios, inimigos não existem. Foi por isso que Robin ficou calada quando deixou seu antigo patrão e foi ajudar Linda a iniciar a The Kaplan Thaler Group.

Um dos meus antigos colegas zombou da nossa nova agência, dizendo: "Aposto que vocês vão cair do cavalo." O comentário me deixou zangada e foi forte a tentação de revidar. Felizmente não fiz isso. A recompensa veio anos depois, quando voltei a visitar minha antiga agência. Alguns dos mais talentosos funcionários me puxaram de lado e perguntaram: "Você tem alguma coisa para mim na sua agência?"

Eu os contratei. Agora eles valorizam a nossa empresa. Se eu tivesse retaliado meu ex-patrão, jamais teria a oportunidade de reunir meus colegas e me beneficiar com seus talentos.

Faça amigos – antes que eles se tornem inimigos

Quando Bill Clinton navegou para Oxford a fim de iniciar sua bolsa de estudo, ele apertou as mãos de todos os que estavam no navio. Quando alguém lhe perguntou o motivo, ele respondeu que um dia queria ser o presidente dos Estados Unidos e que precisaria de uma porção de amigos.

Clinton sabe que "precisamos de amigos" para ir em frente neste mundo. Todos precisamos. Então, faça amizade com seus adversários antes que eles possam se tornar seus inimigos.

No negócio da publicidade, os clientes contratam empresas de pesquisa para testar os anúncios das agências. Essas companhias têm o poder de matar as idéias das agências. A turma de criação das agências sente, muitas vezes, que o conselho dos pesquisadores esvazia suas idéias e as torna menos originais. A pessoa está entusiasmada com o brilhantismo de sua nova campanha, aí chega um desses pesquisadores e diz: "Não, desculpe, mas três senhoras de Nova Jersey não gostaram do seu comercial." É frustrante e cria uma relação natural de antagonismo.

Nossa tendência também era nos sentirmos assim até que, no curso do nosso relacionamento com a Aflac, começamos a trabalhar com um homem chamado Gerry Lukeman. Gerry é presidente emérito da Ipsos-ASI, empresa responsável por um grande percentual das pesquisas que verificam o impacto da propaganda sobre o público. *A certa altura pensamos: Por que estamos transformando essa empresa em inimiga? Ela pode ajudar.* Fizemos, então, uma coisa muito incomum no nosso negócio – pedimos a eles para revisarem nossos projetos antes que fossem produzidos para o teste. Gerry nos deu grandes conselhos e conseguimos criar uma ótima campanha.

Quando alguém contesta ou mesmo mata nossas idéias, podemos vê-lo como inimigo – ou como alguém que nos impulsiona a fazer o melhor possível. Na década de 1950, quando Rod Serling quis produzir uma série para a televisão em torno de questões como segregação, anti-semitismo e pobreza, a rede de TV respondeu com um taxativo "não". Serling então disfarçou suas peças moralistas, usando o universo da ficção científica, e criou o programa de televisão *Além da Imaginação*, série que fez o maior sucesso. Seus "inimigos" do canal de televisão acabaram, na verdade, ajudando a criar uma série muito melhor e mais popular do que seria um programa apenas didático.

É por isso que, em qualquer confronto, seu inimigo também pode ser seu melhor amigo.

Traga o inimigo para o seu lado

Um dos motivos pelos quais o Partido Republicano se saiu tão bem em anos recentes é que seus integrantes são muito bons em formatar o debate. A maioria dos norte-americanos apoiou o "imposto para as propriedades", achando que era algo que só afetava os muito ricos. Mas, quando os republicanos conseguiram que jornalistas e pessoal do governo começassem a chamá-lo de "imposto da morte", de repente o apoio ao imposto caiu – ei!, isso atinge a todos nós (o imposto seria cobrado dos herdeiros da propriedade quando da morte de seu dono). Os republicanos não falam mais em "aquecimento global" – agora eles usam apenas a inócua expressão "mudança climática". As pessoas que acreditam no criacionismo, e não na evolução das espécies, são descritas como favoráveis ao "projeto inteligente".

Concorde ou não com o Partido Republicano, você pode aprender uma lição com a maneira muito bem-sucedida que eles têm de fazer política. Não diga aos outros contra o que você é – diga-lhes *a favor do que* você é. Você pode reformatar qualquer conversa, trazendo o adversário para seu lado. Como nos disse Jay Leno: "Você pode dizer: 'Feche essa maldita janela.' Ou dizer: 'Não está frio aqui?' Perguntar se está frio funciona melhor, porque, assim, você sugere uma resposta."

Dessa forma, você também fecha a janela da idéia do outro, e esta, como aprendemos, é uma das melhores maneiras de fazer *suas* idéias serem aceitas. Se temos um cliente que não gosta de um anúncio que achamos fantástico, perguntamos o que ele faria para melhorá-lo.

Se gostarmos da idéia, poderemos dizer: "Nunca pensei no anúncio dessa maneira. Mas sua sugestão vai tornar o anúncio muito melhor." Quando a idéia de um cliente é aproveitada, ele se torna dono do projeto – e, claro, passa a apoiá-lo integralmente.

Venha em paz

São gestos tão simples – acenar um alô, levar flores para o jantar, brindar. Mas suas origens revelam algo profundo sobre a natureza humana. Cada gesto foi projetado para dizer aos outros: "Não sou uma ameaça." Nossos ancestrais levantavam as mãos e acenavam para mostrar que estavam desarmados. As pessoas levavam presentes aos lares dos vizinhos para demonstrar suas boas intenções ao entrarem no território deles. E canecas de cerveja eram batidas umas nas outras de modo que o líquido respingasse e se misturasse e todos soubessem que ninguém estava sendo envenenado.

Somos uma espécie insegura. É por isso que você precisa trabalhar um pouco para ajudar os outros a relaxar e mostrar que você é um amigo. Sua linguagem corporal pode dizer mais do que mil palavras. Há uma porção de maneiras de dizer às pessoas "Estou desarmado". Uma delas é sair da sua mesa e sentar-se próximo do visitante, em seu escritório. Outra é ter uma linguagem corporal aberta – braços e pernas descruzados. Inclinar sua cabeça quer dizer: "Estou interessado." Mostrar as duas palmas das mãos significa dizer à outra pessoa: "Estou sendo honesto com você."

Outra maneira de aprender sobre honestidade e confiança é prestar atenção aos seus filhos, como Linda e seu marido, Fred, aprenderam em um torneio escolar da Federação de Xadrez dos Estados Unidos.

Dois rapazes competiam pelo título. Um deles estava claramente na liderança. Então ele cometeu um erro imperdoável: depois de seu movimento, esqueceu-se de parar o relógio. Se não percebesse o erro, seu tempo se esgotaria e ele perderia o jogo.

Os técnicos caminhavam nervosamente de um lado para o outro da sala. A platéia estava num silêncio de pedra. Ninguém tinha permissão para avisar o menino sobre o relógio. A única pessoa na sala que tinha essa permissão era seu oponente, outro garoto de seis anos, sentado do outro lado da mesa – e ele não tinha obrigação de fazer isso. Por que o faria? Se seu adversário não parasse o relógio, ele ganharia.

Enquanto o relógio continuava a tiquetaquear, todos prendiam a respiração. Então o outro menino inclinou-se por cima da mesa e sussurrou alguma coisa no ouvido do adversário, que, em seguida, desligou o relógio; graças a esse gesto, ele foi em frente e ganhou a partida.

O menino que perdeu era Michael, filho de Linda e Fred.

Mais tarde, um outro garoto perguntou a Michael: "Você sabia que se não tivesse dito nada poderia ter ganhado?"

Michael respondeu: "Não queria ganhar dessa maneira. Isso não é realmente ganhar."

Jamais nos sentimos tão orgulhosos do nosso filho quanto naquele momento.

Na semana seguinte, numa assembléia da escola, para a qual os pais dos alunos foram convidados, o instrutor-chefe da equipe de xadrez disse à platéia: "Quero homenagear alguém que é um verdadeiro campeão." E se virou para Michael. Todos no auditório se levantaram. Foi um dos momentos de maior orgulho da sua jovem vida. E, em última instância, ele obteve o que queria – o orgulho de ser destacado como vencedor, de ser um modelo para os demais estudantes.

Dica de gentileza

Pense na pessoa que mais o irrita. Depois tente encontrar algo verdadeiramente gentil para dizer a respeito dela. Ofereça esse elogio da próxima vez que a encontrar. Repita isso com a pessoa que mais o irrita em segundo lugar, com a terceira, e assim por diante.

Dica de gentileza

Enumere seus três maiores rivais. Para cada um, escreva alguma coisa que você poderia fazer para ajudá-lo e que não atrapalhasse seu próprio negócio, campanha, etc. Na próxima oportunidade, ofereça sua ajuda.

Dica de gentileza

Escolha um dia da semana para ser inteiramente "livre de fofocas". Não leia revistas comerciais, a seção de negócios do jornal, seu site de informações sigilosas favorito – qualquer lugar em que você possa checar suas "vantagens" sobre qualquer outro. Aos poucos, vá aumentando para dois dias por semana, e assim por diante.

CAPÍTULO 6

Diga a verdade

Durante a Segunda Guerra Mundial, o general Dwight D. Eisenhower tinha o hábito de caminhar entre as tropas. Um dia, quando os soldados se preparavam para uma batalha, Eisenhower notou um rapaz que estava silencioso e abatido.

"Como se sente, meu filho?", ele perguntou.

"General", disse o rapaz, "estou terrivelmente nervoso. Fui ferido há dois meses e só voltei ontem do hospital. Não me sinto muito bem."

Muitos generais tentariam melhorar o ânimo do soldado dizendo coisas como "Você não precisa ficar com medo, pois tem atrás de si o melhor exército do mundo". Em vez disso, Eisenhower disse: "Você e eu formamos uma boa dupla então, porque eu também estou nervoso... Talvez caminhar juntos pela beira do rio nos faça bem."[1]

Eisenhower mostrava-se da maneira mais humilde possível e esse era um dos motivos pelos quais seus soldados eram tão devotados. Ele se tornou um grande líder sem ser rígido nem temível, mas sendo honesto e humano. "Seu sorriso, seus gestos, seu jeito de encarar a vida, tudo transpirava sinceridade. Ele não ocultava o que sentia. Não havia nada de desonesto nele. Talvez seja um paradoxo que, por esse motivo, ele se destacasse tanto como diplomata, profissão na qual se supõe que a verdade escondida e a meia-verdade sejam tão importantes", escreve o historiador Stephen Ambrose, em *The Supreme Commander: The War Years of Dwight D. Eisenhower* (O supremo comandante: os anos de guerra de Dwight D. Eisenhower).

Para nós, o sucesso de Dwight Eisenhower, como general ou como diplomata, não é absolutamente um paradoxo. Ao contrário, acreditamos que a honestidade é essencial para o sucesso em qualquer empreitada – seja comandar exércitos, administrar um negócio, organizar eventos sociais na igreja ou criar filhos. Michael S. Gazzaniga, diretor do Center of Cognitive Neuroscience, em Dartmouth, diz que há certos imperativos morais que todas as sociedades humanas partilham. "Os mais elevados entre eles", escreve Gazzaniga em *The Ethical Brain* (O cérebro ético), "são que todas as sociedades acreditam que o assassinato e o incesto são errados, que as crianças devem ser cuidadas e não abandonadas, (e) que não devemos mentir nem deixar de cumprir promessas."

Claro, todos sabemos que dizer a verdade é considerado uma coisa boa. Conta-se às crianças nas escolas de todos os Estados Unidos a história de George Washington e da cerejeira (quando criança, Washington teria cortado uma cerejeira e, diante do pai que, muito aborrecido, queria saber quem fizera aquilo, disse que não podia mentir e admitiu o malfeito). Não é coincidência que "Não mentirás" seja um dos Dez Mandamentos.

Mas, mesmo dizendo aos nossos filhos que "a honestidade é a melhor política", muitos de nós acreditamos que avançaremos mais na vida se pudermos disfarçar a verdade uma vez ou outra, ou mesmo mantê-la em segredo. Preocupamo-nos com as repercussões de dizer a alguém algo que ele não deseja ouvir. Como não queremos ferir os sentimentos dos outros, mantemos nossos lábios fechados. Achamos mais rápido e mais fácil dizer uma mentira inofensiva. Escondemos nossas emoções ou tentamos não deixar os outros saberem como nos sentimos ou o que estamos pensando. Mas o fato é que dizer a verdade é um dos caminhos mais diretos para avançar no mundo. Como escreveu Mark Twain: "O melhor, quando se diz a verdade, é que não é necessário pensar no que dizer."

Evite o jeitinho, evite problemas

Você não pode dizer a verdade se não deseja ouvi-la dos outros. Isso é particularmente importante quando você é gerente ou patrão. Você precisa criar um ambiente onde seus empregados se sintam à vontade para lhe dizer que acham aquela sua idéia brilhante e criativa uma bobagem ou que a piada ligeiramente picante que você anda contando pode ofender um cliente ou um colega mais conservador.

Em *Conspiracy of Fools* (Conspiração de tolos), o autor Kurt Eichenwald descreve detalhadamente uma cena em que Lou Pai, o chefe da seção de varejo da Enron, tem de explicar ao presidente da empresa, Jeff Skilling, usando um slide como ilustração, o motivo pelo qual sua seção jamais terá grandes lucros.

A história que havia no slide era a mesma que Skilling já ouvira. Por causa dos custos fixos altos, a margem potencial de lucros para o negócio era baixa. Lou Pai começou a explicar os números e Skilling não quis ouvir o que ele tinha para dizer.

"Lou, você tem uma (palavrão censurado) de uma inteligência grande demais para isso", disse Skilling, rispidamente. "Não quero ver esse slide nunca mais."

Pai manteve o rosto duro. "Jeff, é a verdade."

"Simplesmente não quero mais ver esse slide."

Pai bateu com a mão na mesa. "São as (palavrão censurado) dos fatos, Jeff!"

"Talvez sejam os fatos", gritou Skilling em resposta. "Mas não quero que você pense no assunto dessa maneira."

Quando os executivos da Enron não quiseram ouvir a verdade, mandaram uma mensagem para seus empregados: "Mintam, camuflem os números, dêem um jeitinho nas coisas, sejam criativos com a contabilidade." O problema é que, quando você começa a tratar os fatos com certa liberalidade, você pisa num chão escorregadio. Diga uma mentira e terá de dizer outra ainda maior para encobrir a primeira. Breve, você estará gastando todo o seu tempo e recursos tentando administrar as mentiras, em vez de construir uma empresa. É um incrível desperdício de energia que pode trazer prejuízos físicos e intelectuais. É por isso que os detectores de mentiras funcionam. Quando a pessoa mente, toda a sua fisiologia muda – os batimentos cardíacos, a respiração, a pressão sangüínea, o suor. O polígrafo pode ler o sistema de alarme natural do corpo da pessoa sendo disparado.

Abandone os disfarces

A executiva de publicidade Elizabeth Cogswell Baskin estava no elevador da sede da United Parcel Service com uma cliente, a caminho de uma reunião. Baskin perguntou-lhe como iam as coisas, e a cliente, sem mais nem menos, começou a chorar.

"Ela me contou que todas as manhãs o filho de três anos ficava de pé, em frente ao banheiro, soluçando, porque ela saía para o trabalho às seis da manhã e só voltava para casa às sete ou oito da noite. Isso estava acabando com ela", disse Baskin, superintendente de uma agência de publicidade em Atlanta.

A maioria das pessoas ficaria horrorizada e constrangida diante de uma explosão dessas. Afinal, na América empresarial, chorar no escritório é um dos maiores tabus. Mas Baskin não se retraiu; em vez disso, ofereceu um emprego à cliente. "Almoçamos juntas e eu lhe disse que estava pensando em contratar alguém que pudesse administrar minha agência e, eventualmente, se tornar presidente. Imediatamente ela disse: 'Eu poderia fazer isso!'" Baskin a contratou. "Foi a melhor contratação que já fiz", disse ela.

Pode parecer um gesto irresponsável; afinal, Baskin teve apenas cerca de seis ou sete encontros com a cliente. Mas Baskin notara a maneira como ela agia na sede muito rígida e conservadora da UPS. "Observei o modo como ela tratava os demais funcionários. Era muito caloroso e amigável, o que se destacava naquele ambiente extremamente formal."

Caloroso e amigável? É assim que se consegue ser presidente de uma empresa? Bem, certamente não em todas as empresas. Você pode apostar que, nos recentes escândalos empresariais, os executivos que saíram empurrados e algemados de seus escritórios não escreviam "calorosos e amigáveis" nos currículos. E pode apostar também que eles jamais contrataram alguém que tivesse acabado de explodir em lágrimas.

Mas o que mais impressionou Baskin foi o fato de a cliente ter tido a coragem de revelar seus verdadeiros sentimentos. Entendeu que alguém capaz de mostrar suas emoções é um trunfo para uma empresa. Claro que essa não é a sabedoria convencional. No setor dos negócios existe uma idéia de que a melhor maneira de se comportar é ser frio e ter um rosto pétreo. Aqui, lembramos do patrão, que depois de uma reunião importante, vangloriou-se: "Ora, o John realmente se revelou nessa." Como se isso fosse uma grande conquista. Também nos lembramos de um colega de trabalho que, depois de uma reunião com um cliente, comemorou: "Desta vez, enrolamos o homem."

O problema com uma estratégia dessas é que a pessoa hábil em esconder suas emoções também será, provavelmente, bastante hábil na trapaça. A curto prazo, isso pode funcionar – essas pessoas podem conseguir o emprego à custa de bravatas ou ganhar o projeto de um cliente inocente. Mas, com o correr do tempo, clientes e colegas de trabalho perceberão que não se pode confiar nessa pessoa. E aí as portas se fecham e as oportunidades desaparecem.

O respeito de Baskin pela honestidade emocional é rara na América empresarial, mas talvez sua abordagem se torne mais comum à medida que mais mulheres assumam papéis com poder de decisão nas maiores empresas norte-americanas.

Fingir não é fazer

Larry King conta que na primeira vez em que atuou numa rádio sua boca parecia estar cheia de algodão. Ele estava tão nervoso que precisou fazer três tentativas até conseguir falar. Quando enfim falou, conta ele no livro *How to Talk to Anyone, Anytime, Anywhere* (Como conversar com qualquer um, a qualquer hora, em qualquer lugar), disse: "Bom dia. Este é o primeiro dia da minha vida no rádio. Sempre desejei estar no ar. Ensaiei o fim de semana inteiro. Há 15 minutos me deram um novo nome. Eu tinha uma trilha sonora pronta. Mas minha boca está seca. Eu estou nervoso. E o gerente-geral acabou de abrir a porta aos pontapés e disse: 'O negócio aqui é comunicação.'"

Pode parecer uma maneira estranha de iniciar uma carreira radiofônica, mas King sabia que, se fosse franco com seus ouvintes, teria uma chance maior de atraí-los para seu lado. E funcionou como um feitiço.

Nos negócios, ouvimos muitas vezes a frase: "Finja até conseguir fazer." Espera-se que a pessoa entre porta adentro com uma porção de bravatas e fanfarronadas e *depois* descubra o que é para fazer. Achamos que esse é um péssimo conselho. Como Robin sempre diz aos nossos empregados:

Peçam-me ajuda enquanto ainda posso ajudar. Jamais criticarei um funcionário que se aproximar de mim e disser: "Não sei como fazer isso." Ou: "Estou atrapalhado." Mas, se alguém esperar até 24 horas antes da reunião com o cliente para me dizer que não teve tempo suficiente, tudo o que poderemos fazer é chorar juntos.

Sintonize bem seus instintos

Em alguma medida, você já sabe como distinguir as pessoas honestas das inconseqüentes. Sempre que você conhece alguém novo, alguma coisa lá no fundo de você diz "Ele é legal", ou "Não confio nesse cara". Como uma vez escreveu Woody Allen: "Há algumas pessoas que você ama e outras que só quer espremer."

Como fazemos esses julgamentos instantâneos? Somos capazes de detectar sinais não-verbais que nos dizem se devemos ou não confiar na pessoa. Para alguns, interpretar as deixas corporais é uma necessidade profissional. Os jogadores de pôquer, por exemplo, são capazes de lhe dizer que, se uma pessoa olhar para baixo e para a esquerda, está mentindo.

Podemos não ter as habilidades de um jogador profissional de pôquer; mas, no fundo, todos temos instintos que nos permitem ver quando alguém não é honesto conosco. Martha Stout, psicóloga de Harvard, diz que as crianças pequenas que não têm habilidades de linguagem inteiramente desenvolvidas confiam muito mais em indicações não-verbais, como a linguagem corporal e o tom da voz. É por esse motivo que as crianças, assim como os cães, detectam muito melhor do que os adultos as pessoas desonestas e até os sociopatas.

Surpreendentemente, pessoas com lesões cerebrais podem ter essa habilidade – algumas vezes até maior do que as pessoas saudáveis. O escritor e neurologista Oliver Saks ficou muito surpreso no dia em que caminhava pela ala de afasia de seu hospital e ouviu os pacientes caírem na gargalhada. O que seria tão engraçado? Eles estavam ouvindo o discurso de um político na televisão. As pessoas com afasia são incapazes de entender as palavras, mas são incrivelmente competentes para interpretar indicações visuais. Então, embora não pudessem entender o conteúdo do discurso, sabiam, pelas expressões faciais do político e pelo tom da sua voz, que ele estava representando, que mentia. Os ritmos eram desencontrados e os gestos, falsos. Para os afásicos, ele parecia um bufão: daí a grande comédia.

Verificou-se, posteriormente, que qualquer pessoa pode aprender a se reconectar com aquela capacidade infantil. Paul Elkman, professor de psicologia da Universidade da Califórnia, diz que até o mais hábil mentiroso terá uma certa quantidade de "vazamento" em seu rosto – uma impressão fugidia que sugere que está contando lorotas. Ekman diz que qualquer um pode aprender a detectar essa microexpressão – a momentânea lacuna entre as palavras e as emoções –, e o treinamento para esse sistema de detecção de mentiras tem um percentual de 95% de sucesso.[2]

Nossa mente tem maneiras de interpretar as coisas em torno de nós separadamente do nosso cérebro racional. "Quando se tenta decidir entre aceitar um emprego em Dallas ou namorar alguém que se conheceu no casamento da irmã, é impossível chegar a uma conclusão através de pura lógica", diz o escritor Daniel Goleman. É necessário entrar em contato com as emoções, as entranhas. Elas servem como o sistema de alarme natural do corpo. Em geral, os instintos profundos afastam você das más decisões – você tem "má impressão" de uma pessoa ou de um emprego e decide seguir em frente. Mas nossas entranhas também podem sinalizar grandes oportunidades.

Infelizmente, muita gente está desligada de seus verdadeiros instintos. Estamos tão inundados de "conselhos de peritos" que perdemos a capacidade de ouvir nossas próprias vozes. Não conseguimos pintar nossos banheiros nem escolher um vinho para o jantar sem consultar uma barragem de experts, artigos de revistas, sites na internet, e assim por diante. Quando surgem conflitos com cônjuges ou colegas de trabalho, consultamos uma dúzia de amigos antes sequer de tratar diretamente do problema com a pessoa envolvida.

Por isso é tão importante às vezes desligar o computador e ouvir os seus próprios instintos. Eles podem dizer-lhe muito mais do que algum pretensioso "perito" da área.

A seguir, algumas maneiras que descobrimos de sermos sinceros sem prejudicar nosso relacionamento com os outros.

Comece com as coisas boas

De início, Linda ficou furiosa:

Dois dos meus funcionários da área de criação haviam faltado a várias reuniões com um cliente, que ficou muito aborrecido. Mas, antes que eu chamasse a equipe ao meu escritório, percebi que tinha de lidar primeiro com minha própria raiva. Instintivamente, percebi que a melhor maneira de resolver o problema não era atacando diretamente as pessoas envolvidas; então esperei até minha cabeça clarear para falar com eles. Quando os chamei ao meu escritório, comecei a reunião comentando sobre fatos positivos. Falei que eles precisavam entender o quanto eram importantes para o cliente. Que os encontros eram aguardados com muita expectativa e que os cancelamentos causavam decepção. Eles reagiram com surpresa – jamais haviam percebido a importância que tinham para o cliente. Depois prossegui explicando como era valioso o trabalho deles para a conta. No final da nossa conversa, eles se sentiam poderosos. E desde então não faltaram mais a nenhuma reunião.

Se eu tivesse deixado minhas emoções tomarem conta, teria desabafado e brigado, e todos sairiam da reunião chateados. E isso, provavelmente, a longo prazo não faria nenhum bem a nosso cliente. Ao abordar o problema de maneira pacífica, consegui fazer com que a equipe juntasse forças e se tornasse muito mais cuidadosa em relação à conta.

Quando alguém faz alguma coisa errada, a vontade de criticar é estranhamente sedutora. Você sente que sua raiva lhe dá poder para ser sincero além da conta. Mas a realidade é que essa raiva não levará você a parte alguma. Censurar os outros, dizendo como você está certo e como eles estão errados, traz pouco resultado. Em vez disso, siga a dica do sargento Joe Friday (personagem de um seriado de televisão): "Apenas os fatos, minha senhora." Em vez de um ataque direto – "O que está pensando? Como é que você pôde fazer isso?" –, apenas explique, de forma simples, o que eles fizeram de errado, de modo que eles aceitem a verdade sem se sentirem desmoralizados. Depois ofereça uma solução – sugira como eles podem melhorar o desempenho – e siga em frente.

E, quando tiver más notícias para dar, faça-o pessoalmente. Recentemente, lemos a respeito de um incidente no qual uma mulher, viajando a negócios, estava sentada num avião prestes a levantar vôo quando o celular tocou. Era o patrão dela avisando que ela estava demitida! Enquanto os comissários de bordo pediam aos passageiros para desligarem todos os dispositivos eletrônicos, ela era informada de que, no dia seguinte, deveria ir ao escritório esvaziar suas gavetas. Imaginem – exatamente quando ela estava prestes a passar quatro ou cinco horas desconfortáveis dentro de um avião, recebeu o insulto final e teve de ficar ali, espremida na fila do meio da classe econômica, pensando no assunto.

Em uma época em que as pessoas rompem relações amorosas por e-mail, é essencial ter tempo para falar cara a cara quando há um problema sério a resolver. A verdade pode magoar às vezes, mas é muito mais humana e, em última instância, mais valorizada.

Ajude-os a encontrar a verdade sozinhos

Vamos dizer que sua melhor amiga está num relacionamento terrível e doloroso. Dia sim, dia não, ela telefona chorosa para contar o que o Sr. Perverso andou aprontando – criticando-a diante do patrão, esquecendo de convidá-la para o casamento do irmão, estragando a festa de aniversário dela. A infelicidade da amiga está lhe enlouquecendo e você só quer gritar: "Largue o canalha, já. Por favor!"

Mas, como qualquer terapeuta lhe dirá, você não pode fazer isso. De algum modo, sua amiga já sabe o que tem de fazer, mas precisa resolver sozinha. Essa mesma psicologia é tão verdadeira no local de trabalho, com colegas ou clientes, quanto em seus relacionamentos pessoais. O Dr. Gary Belkin, professor-assistente de psiquiatria na Faculdade de Medicina da Universidade de Nova York, diz que há maneiras de empurrar ou encorajar amigos e parentes atormentados na direção certa. Ele lembra de uma paciente que tinha uma visão ambivalente sobre um relacionamento difícil. Quando Belkin disse que ela estava se saindo melhor nesse caso do que no anterior, ela comentou que ainda não estava lidando com o problema tão bem quanto poderia. De repente, a idéia de mudar de comportamento partiu dela própria e não de um psiquiatra dizendo "Eis o que você deve fazer".

Seja você gerente ou proprietário de um negócio, colega ou amigo, quando você é capaz de ajudar o outro a resolver por si mesmo um problema, você o estará ajudando não apenas com o problema imediato, mas também a encontrar soluções para os problemas futuros.

Encontre a força na fraqueza

Há vários anos contratamos um diretor de atendimento muito talentoso que fora demitido das duas últimas agências em que havia trabalhado. Descobrimos que o motivo era simples: ele tinha um temperamento terrível. Gritava com os assistentes, com os parceiros e até com os clientes. Logo tivemos de lhe dizer uma verdade amarga: que seu temperamento incontrolável estava minando sua carreira e que, se ele não entrasse num curso para administrar a raiva, seria demitido também desse emprego.

Sabíamos que seria difícil para ele ouvir e aceitar a verdade. Então começamos nosso encontro dizendo que achávamos que o motivo para tanta raiva era o fato de ele ser perfeccionista. Ele queria ser genial em todos os projetos. Por isso ficava impaciente quando as coisas saíam do curso previsto.

Não desculpamos seu comportamento destemperado, mas mostramos que apreciávamos o quão cuidadoso ele era em cada trabalho. Reconhecíamos, também, que o seu temperamento esquentado era um efeito colateral do seu perfeccionismo, e não algo que definia todo o seu caráter.

Segundo o psicólogo David Kipper, nossas fraquezas são, freqüentemente, o lado inverso de nossas forças. Por exemplo, alguém que tem uma imensa capacidade de concentração e é bom na solução de problemas pode ficar muito impaciente e ter dificuldade para lidar bem com reuniões demoradas. Um gerente que é excelente para ver o quadro geral e criar uma imagem para a empresa pode não entender plenamente os detalhes necessários para fazer as coisas funcionarem.

Quando falamos com nosso exaltado executivo, ele ficou chocado com as reações que seu comportamento provocava. Aparentemente, ninguém lhe havia dito, nem mesmo seus antigos patrões, como ele era destrutivo. No dia seguinte, ele nos agradeceu por lhe termos dado a lição dura e amorosa de que precisava para poder enxergar – e mudar – seu comportamento. Ele se mostrou inteiramente disposto a buscar soluções para o problema da raiva porque não queria perder o emprego e entendeu que percebíamos que algo de muito positivo provocava suas reações destemperadas – o seu perfeccionismo.

Hoje, embora ainda lute com a tendência a reações irritadas, ele já avançou muito no sentido de conter seu comportamento e ser mais respeitoso com os outros. E nós, de nossa parte, reconhecemos sua melhora, dando-lhe mais tarefas e contas importantes e também fazendo com que cuide de projetos mais complexos que exigem muita atenção para os detalhes – tarefas que outros talvez não tivessem a mesma paciência para executar. O resultado é que ele está no topo da carreira e ajudou a agência a conquistar várias contas de muitos milhões de dólares.

Nem sempre a verdade dói

Robin angustiou-se durante uma semana quando sua filha, universitária, perguntou se podia mudar com o namorado para um apartamento que seria pago pelos pais dele:

Sentia que Melissa era muito jovem para uma mudança tão grande de vida. Ir morar com um namorado é uma declaração de independência, não uma coisa que deva ser financiada pelos pais. Além disso, um apartamento em Nova York seria ainda mais caro do que o dormitório da Universidade de Nova York onde Melissa vivia.

Então, mesmo sabendo a resposta desde o primeiro minuto, passei uma semana estressada, pensando no que dizer, pedindo opinião a todo mundo que eu conhecia. Melissa tem 20 anos, então eu precisava responder a ela como a uma adulta. Não podia simplesmente agir como uma mãe, dizendo: "Não, porque não", como se ela tivesse 10 anos. Era necessário encontrar uma maneira de falar sobre os sentimentos dela, ter uma conversa adulta. Foi um terapeuta quem, ao custo de 185 dólares, me deu a pergunta certa: "Por que tomar essa decisão, Melissa?"

E veio o esclarecimento. Melissa me lembrou que certa vez eu dissera que achava que comprar um apartamento para ela poderia ser um bom investimento. Quando perguntei o que aconteceria se eu não quisesse mais fazer isso, ela disse: "Eu moraria no dormitório."

Fim do drama. Muitas vezes achamos que, para resolver um conflito, todas as partes devem concordar. Mas isso não é verdade. "No fim de uma discussão, você não tem de concordar, você apenas precisa sentir que cada um foi ouvido", diz a professora de negociação de Harvard Sheila Heen. Quando você ouve e faz perguntas, dá espaço ao outro, mostra que respeita seu ponto de vista. E cria uma situação em que a pessoa pode entender sua perspectiva, ao contrário de quando você tentar encerrar o assunto com um simples "não!".

Confrontar o próprio filho pode ser doloroso, mas, em última instância, é um direito dos pais. Mais duro é confrontar um cliente. Certamente não aconselhamos que se faça isso regularmente, mas, como descobriu Maurice Lévy, nosso amigo e superintendente da nossa companhia afiliada Publicis Groupe, algumas vezes a pessoa tem de dizer a um cliente importante algo que ele não deseja ouvir.

Durante muito tempo, Maurice ficou frustrado com um cliente bastante exigente. Todo ano, sistematicamente, o cliente pedia para trocar o chefe ou a equipe inteira que o atendia. Por vários anos o pedido foi atendido, mesmo quando era injustificado. Finalmente Maurice ficou saturado. Quando o cliente pediu a ele que se livrasse de uma de suas gerentes mais talentosas, Maurice recusou, explicando que aquela era a melhor pessoa para o trabalho e que ele não podia deixar o cliente abusar do pessoal da agência.

O cliente ficou furioso e ameaçou retirar a conta se Maurice não fizesse sua vontade, mas Maurice permaneceu impassível. Alguns dias se passaram e nada aconteceu. Ele manteve a conta na agência e a equipe continuou intacta. "Entendemos a necessidade de fazer mudanças importantes quando há justificativa, mas quando um cliente abusa desse acordo isso nos coloca numa situação de dupla perda: perdem a agência e sua equipe e perde o cliente, porque nenhuma equipe se sentiria à vontade para dar o melhor de si nessa situação", diz Maurice.

Vinte anos se passaram e poucas pessoas sabiam que Maurice arriscara sua carreira para apoiar uma de suas funcionárias. Quando a gerente se aposentou, ela contou a história numa pequena reunião de despedida no escritório. Seus colegas ficaram admirados ao saber o quanto a agência resistira em favor dela – e a notícia dessa lealdade espalhou-se rapidamente pela empresa.

A verdadeira força da decisão de Maurice, enfrentando o blefe do cliente, não foi o que aconteceu na ocasião, mas o fato de que esse ato reverberou na empresa 20 anos depois. Imaginem como esses empregados se sentiram inspirados quando souberam que tinham um chefe capaz de colocar tanto em jogo por causa deles.

Não tenha medo de estabelecer limites

Há alguns anos, Linda disse a um editor que precisava começar a trabalhar em um projeto às 8 horas da manhã da segunda-feira seguinte:

Ele respondeu que, para ele era impossível. Então mudamos o encontro para as 10 horas e o trabalho foi feito.

Depois, perguntei a ele: "Por curiosidade, qual era o outro compromisso que você tinha às 8 horas de segunda-feira?"

"Não tinha um compromisso. Essa é a hora que passo com meus filhos."

"Por que você disse que esse encontro era 'impossível'?"

"Porque era impossível. É dessa maneira que eu administro a minha vida."

Ele me deu uma lição naquele dia. Todos temos o direito de planejar nossa vida; todos temos o direito de estabelecer limites. Está certo dizer que tem "outros planos" se sugerirem algo que não funciona para você. E esses planos podem não envolver um encontro com a rainha ou o fato de ser o padrinho de um casamento.

Todos temos esses momentos em que buscamos uma desculpa a fim de escapar de algo que não queremos fazer. Você recebe um convite para uma festa de noivado e simplesmente não tem tempo para ir. Seu patrão pergunta se você poderia comparecer a uma reunião no sábado para tratar de uma coisa que você poderia ter feito durante a semana. Uma antiga amiga de escola telefona de repente e lhe pergunta se gostaria de assistir à leitura de poesia que ela fará à noite, com participação da platéia.

Surge uma torrente de lamentações dolorosas: "Sinto muito! Vou visitar o túmulo de minha tia-avó Millie neste fim de semana!", "Puxa, adoraria ir, mas vou fazer um tratamento dentário complicado, de canal!". Se você é assim, pare. Você não precisa apresentar uma lista de motivos pelos quais não pode arrumar ou ajeitar seus horários em função da programação de outra pessoa. Você não *precisa* tecer uma história triste nem inventar um compromisso anterior apenas para poder passar o fim de semana com sua família. Não há necessidade de se estender. Simplesmente responda. Como diz a terapeuta Dra. Ona Robinson: "Nunca explique, nunca defenda, nunca justifique." Você tem o direito de viver sua vida e estabelecer seus próprios limites. E os outros o respeitarão mais por fazer isso.

Se você está a fim do encontro, mas em uma ocasião mais propícia, ofereça uma alternativa – sugira outra ocasião para se encontrarem ou, da próxima vez, tome a iniciativa de fazer o convite.

Dica de gentileza: Faça a dieta da verdade

Durante uma semana tente dizer somente a verdade a todas as pessoas com quem conversar. Você não precisa ir atrás de uma colega de trabalho para dizer que acha os brincos dela horrorosos. Mas não diga que são lindos, se não acha isso. Tente: "São interessantes! Onde você os comprou?" Se não quer comparecer à festinha para o bebê da sua prima em segundo grau, envie-lhe um bilhetinho pedindo desculpas por não poder ir. Diga como está feliz por ela e mande um presente simpático.

Dica de gentileza: A coragem de ser honesto

Há alguma coisa que você está deixando de dizer a alguém por temer que a verdade a magoe? Pergunte a si mesmo: Ela vai melhorar se souber a verdade? Se a resposta for sim, então diga, mas encontre uma maneira de fazer isso amavelmente. Se o problema são as expectativas profissionais pouco realistas da sua irmã, espere até a próxima vez em que ela se queixar do emprego que não leva a nada e então lhe pergunte o que deseja de um emprego, o que faz para conseguir o tipo de emprego que gostaria, e assim por diante. Oriente-a no sentido de ver a verdade por si mesma, em vez de jogar tudo isso em sua cara. Por exemplo: "Admiro sua ambição, mas você acha que é realista pensar em pular de caixa de banco para gerente de investimentos? O que, além de dinheiro, atrai você no cargo de gerente de investimentos?..."

Dica de gentileza: Tire a máscara

Em situações em que nos sentimos vulneráveis, é mais fácil, simplesmente, manter nossa máscara pétrea bem afivelada. Se você está acostumado a se esconder atrás de uma máscara, tente tirá-la... aos poucos. Pense em alguma coisa que você não gosta de revelar aos outros: que roubou um livro da biblioteca quando era criança, ou que tem medo de telefonar de repente para uma virtual namorada e ser rejeitado. Depois, encontre três pessoas em quem você confia e conte a elas. A questão não é sair por aí contando ao seu patrão ou a futuros parentes por afinidade seus fracassos e fragilidades, mas encontrar pessoas nas quais você confia e com as quais você pode se abrir e ser vulnerável. Em última instância, você descobrirá que realmente não precisa andar por aí fingindo ser outra pessoa – porque quem você é já está ótimo.

Dica de gentileza: Faça o jogo do "E então, o que acontecerá?"

Ser honesto e direito pode soar grande em teoria, mas e naquelas situações em que você precisa dizer uma verdade constrangedora? Robin teve um patrão que pedia aos seus empregados para fazerem o seguinte exercício: da próxima vez que estiver preocupado com a possibilidade de alguém se aborrecer com sua honestidade, imagine que você está certo, que dirá a verdade e o odiarão por isso. O que acontecerá? Você perderá a conta? Perderá o emprego? Será que sua mulher, ou seu marido, o/a abandonará? Você terá de vender sua casa? Será condenado à morte? Acreditamos que não. Imaginando até que ponto as conseqüências serão ruins, você, em geral, descobrirá que não são tão ruins assim e colocará seus temores numa perspectiva realista.

CAPÍTULO 7

"Sim", o caminho do topo

Quando Lupe Valdez concorreu ao cargo de xerife do município de Dallas, ninguém pensou que ela pudesse ganhar. "Iniciei essa campanha com cinco gols contra: sou mulher, sou hispânica, sou lésbica, era uma estranha ao departamento e sou democrata", disse Valdez. Seu adversário era um republicano que havia trabalhado para o departamento do xerife de Dallas durante 30 anos.

Nos últimos dias da disputa, o adversário de Valdez iniciou um ataque maldoso, acusando-a falsamente de uso irregular do dinheiro de uma organização pelos direitos dos gays. Com uma campanha de poucos recursos, Valdez decidiu que não reagiria usando a mesma moeda. "Sofri uma enorme pressão da minha equipe para responder com outro ataque. Sabíamos que não podíamos simplesmente ignorar as acusações, então decidi tomar um caminho diferente. Dessa maneira, se eu perdesse, ainda gostaria de quem sou", disse Valdez.

Valdez e seus assessores optaram por uma ação positiva. Procuraram 60 mil eleitoras que na campanha anterior não haviam apoiado nenhuma chapa. Valdez sentiu que, se pudesse fazer sua mensagem chegar a essas mulheres, poderia convencê-las a votar nela – sem se curvar às táticas do adversário. Quando o resultado da eleição foi divulgado, em um município onde jamais alguém se elegera xerife com mais de 300 votos de vantagem, Valdez ganhou por 17 mil votos e se tornou a primeira mulher eleita xerife de Dallas.

A maioria das pessoas finge que apóia a idéia de "permanecer positivo", mas quando alguém é atacado por um oponente a reação habitual é partir para a briga sem medir as conseqüências. Afinal, quais são as escolhas? Resistir e brigar ou sentar e agüentar.

Valdez descobriu uma terceira estratégia, que era, ao mesmo tempo, forte e gentil. Em vez de destruir a imagem de ambos os candidatos nas mentes dos votantes, ela recrutou mais votantes. Em vez de dizer "não" ao seu adversário e seus adeptos, ela descobriu uma maneira de dizer "sim" às mulheres de Dallas.

Como Valdez aprendeu, "sim" é uma palavra muito poderosa. Se você aprender a dizer "sim" a todo cliente, ao patrão e a novas perspectivas de negócio, você será capaz de escapar da subida pela escada empresarial e, em vez disso, tomar o elevador.

É por isso que ser positivo tem um impacto imenso em todos os relacionamentos, como descobriu o psicólogo John Gottman. Gottman filmou 700 casais pouco antes de se casarem. Depois de observar cada gravação de 15 minutos, a equipe do psicólogo indicou quais os casais que permaneceriam juntos e quais se divorciariam. Dez anos mais tarde, eles descobriram que haviam previsto as possibilidades de sucesso matrimonial com *94% de exatidão*.

Os pesquisadores puderam fazer essas previsões espantosamente exatas monitorando gestos que a maioria de nós poderia achar inconseqüentes – um aperto tranqüilizador no braço, um girar de olhos de frustração. Descobriram que as interações negativas têm um impacto muito prejudicial no casamento. De fato, foram necessários cinco gestos positivos – sorrisos, brincadeiras, elogios – para compensar um negativo.

Pesquisas em torno de interações no local de trabalho chegaram a resultados parecidos. Em um estudo, os funcionários eram muito mais produtivos quando o número de gestos positivos era no mínimo três vezes maior do que os negativos.[1]

O "não" fecha portas, enquanto o "sim" abre. Bob percebeu isso depois que entrevistou um candidato muito improvável para um emprego de vendedor. O homem que entrou em seu escritório – John – tinha pouco mais de um metro de altura. Não tinha joelhos nem mãos e seus braços paravam nos cotovelos. "Quando o vi pela primeira vez, pensei 'Poxa vida'. Mas, depois de conversar com ele durante cinco minutos, percebi que me esquecera completamente de que havia algo diferente nele. E ele me pareceu um grande vendedor", disse Bob.

Havia meses que John vinha tentando conseguir um emprego de vendedor. Fez entrevistas em mais de 100 escritórios diferentes, mas ninguém quis contratá-lo. "Ele disse: 'Sei que posso fazer isso. Só quero uma oportunidade'", contou Bob.

Bob ficou convencido, mas seus patrões ficaram preocupados. Será que ele deixaria os clientes constrangidos? E se pedisse uma porção de elevadores caros ou outros equipamentos especiais? E se o demitissem e ele os processasse por discriminação?

Havia uma porção de possibilidades desconhecidas no caso de John, e seria mais fácil apenas dizer "não". Bob convenceu seus patrões a dizerem "sim". O risco foi maravilhosamente compensado: John revelou-se um dos melhores vendedores que a empresa já teve. Seu trabalho árduo, sua personalidade envolvente e inteligência superaguçada conquistavam os clientes. E John dizia que, sob alguns aspectos, sua aparência incomum revela-se uma vantagem: "Não me lembro de todas as pessoas que conheço, mas todas as pessoas que me conhecem lembram-se de *mim!*"

Como você pode dizer um "sim" memorável em cada encontro que tiver?

Assuma o "sim"

Quando a terapeuta Ona Robinson começa seu trabalho com casais, freqüentemente sugere uma espécie de dever de casa: enumere três motivos pelos quais o canibalismo é bom. Ela recebe uma porção de respostas hilariantes: "excelente fonte de proteína", "sem excesso de gordura", "reduz a população mundial", "todos os ingredientes são naturais".

O objetivo do exercício não é defender o canibalismo, mas ajudar as pessoas a desenvolverem o hábito de assumir a boa vontade. Quando você se aproxima dos outros com a crença de que eles têm intenções generosas, descobrirá que sua vida se torna uma viagem muito mais agradável.

Por exemplo, vamos supor que alguém diga que detesta seu traje. Você poderia dizer algo desagradável em resposta ou poderia agradecer pela preocupação com sua aparência. A intenção da pessoa ao criticar sua roupa não tem importância. O que importa é que você treine para interpretar o encontro de maneira positiva.

Pesquisas realizadas pelo psicólogo Martin Seligman confirmam os benefícios do otimismo. Em um estudo sobre vendedores de seguros, Seligman descobriu que os pessimistas são mais realistas do que os otimistas, mas os otimistas obtêm mais sucesso.

O motivo tem a ver com a maneira como os otimistas conversam consigo mesmos. Quando um otimista é rejeitado num telefonema de vendas, ele diz a si mesmo que a pessoa estava provavelmente ocupada demais ou de mau humor. É uma situação temporária que não diz nada sobre sua habilidade de vender seguros – ele apenas teve a má sorte de telefonar na hora errada. Ou não pensará no assunto e partirá para o próximo telefonema.

Quando um pessimista enfrenta rejeição, seu diálogo interno é muito diferente. Ele vai descobrir um motivo permanente e profundo para a rejeição. Dirá a si mesmo que é um mau vendedor, que nunca dará certo nesse negócio. O pessimista fica desmoralizado, dá menos telefonemas – e, portanto, vende menos.

É exatamente como disse Henry Ford: "Se você acha que não pode, você está certo. E, se acha que pode, está certo."[2]

Quando você trata as pessoas como idiotas, elas muitas vezes corresponderão às suas expectativas. Mas, se você as trata como as pessoas mais inteligentes e talentosas do mundo, ficará surpreso com o que elas realizarão. No final, ser um líder de torcida é muito melhor do que ser um sargento instrutor.

Expresse o "sim"

Como mencionamos antes, os pesquisadores descobriram que apenas 7% da nossa comunicação são verbais – os outros 93% vêm da linguagem corporal, das expressões faciais e do tom de voz.[3] É por isso que não basta *dizer* "sim"; você precisa *expressar* o "sim".

Uma das melhores maneiras de fazer isso é um simples aceno afirmativo com a cabeça. Allan Pease, consultor que ao longo de 30 anos ensinou habilidades e técnicas corporais no mundo dos negócios, diz que o aceno com a cabeça é um dos gestos humanos mais universais – até pessoas cegas de nascença fazem isso para dizer "sim". Outro gesto universal é inclinar a cabeça para um lado como manifestação de interesse. Charles Darwin notou que até os animais partilham esse hábito. "Quando estão falando com você, basta usar a posição inclinada e acenos afirmativos com a cabeça para despertar a simpatia da outra pessoa", escreve Pease em seu livro *Signals* (Sinais).

Num experimento bem conhecido, uma turma de psicologia decidiu testar essa teoria, usando o professor como cobaia.[4] Sem o conhecimento do professor, todas as vezes que ele caminhava para o lado direito da sala de aula os estudantes ficavam distraídos e desatentos. Mas todas as vezes que ele caminhava para o lado esquerdo eles mostravam respeito, sorriam e faziam acenos de aprovação com a cabeça. O professor acabou dando a aula inteira apoiado na parede esquerda da sala! Esse é o poder de um reconhecimento não-verbal.

Espelhar é outro grande instrumento que os terapeutas usam o tempo inteiro. Da próxima vez que tiver um encontro importante com um cliente ou um empregador em perspectiva, imite os gestos dele sutilmente. Por exemplo, se ele pegar uma xícara de café com a mão direita, pegue um lápis com a esquerda. Não faça uma mímica exata dos gestos dele – isso vai parecer esquisito. Apenas sintonize-se com a postura dele e com seu estado de espírito, e você, silenciosamente, estará comunicando que o aceita e é receptivo a suas idéias – o que, por sua vez, o deixará à vontade e, claro, o tornará mais acessível a suas propostas brilhantes!

Abandone o trem do "não"

O problema com a palavra "não" é que ela deflagra uma cadeia de acontecimentos negativos. Se você recebe críticas devastadoras do patrão, ficará chateado com isso. E mesmo que naquele momento não possa expressar esse sentimento, no final ele virá à tona. Você pode decidir começar a se atrasar para o trabalho, o que aborrecerá o colega, que terá mais tarefas. Ele, por sua vez, vai decidir: "Não, não posso assumir seu lugar enquanto você estiver de férias." Você inicia uma cadeia de "não" que será difícil interromper.

Os atores do teatro de improviso entendem isso. Se você já assistiu a um grande espetáculo teatral de improvisadores, sabe que a experiência é surpreendente. Os atores recebem uma sugestão inteiramente casual – jacarés, espaço sideral, carne moída – e criam uma história no próprio local, sem gastar um só minuto para consultar uns aos outros ou mesmo pensar no que querem dizer. Quando isso é bem feito, os resultados são, em geral, hilariantes – e muito mais divertidos do que o desempenho muito bem ensaiado.

Enquanto assiste, você fica imaginando como os improvisadores podem criar histórias tão inteligentes e espirituosas do nada. Talento certamente conta muito, mas não é só isso. Há muitos truques que os atores usam para manter a narrativa fluindo, e uma das regras mais importantes é que eles nunca, mas nunca mesmo dizem "não". A resposta deve ser sempre "sim e...".

Por exemplo, suponhamos que um ator começa olhando nos olhos da companheira e diz: "Vamos nos casar em Marte."

Se a atriz disser: "O quê? Você está maluco! Marte tem uma temperatura de zilhões de graus e nenhum oxigênio", para onde você acha que o espetáculo irá? Para parte alguma e bem rápido.

Por outro lado, se a atriz disser: "Sim, será maravilhoso. Convidaremos todos os meus primos de Netuno e Plutão", então temos uma história.

Certo, não é fácil dizer "sim" o tempo inteiro. Uma mulher que conhecemos, chamada Bonnie, lembra de um fim de semana chuvoso em que, exausta após meses de procura inútil por uma casa para comprar na cidade de Nova York, planejou ficar quieta na companhia de um bom livro. Então, Terry, um amigo, telefonou para convidá-la a ir a um piquenique na casa de George, um amigo dele, em Nova Jersey. "Você pode imaginar como me entusiasmou ir a Jersey debaixo de chuva para comer um churrasco", disse Bonnie.

Bonnie só encontrara George uma vez – quando Terry o levara a uma festa na casa dela. Mas Terry explicou que George acreditava firmemente na reciprocidade e queria muito retribuir a hospitalidade. "É a maneira como ele foi educado", disse Bonnie.

Aceitando o convite, Bonnie foi para a rodoviária, com o livro na mão, pronta para uma viagem longa e tediosa. Em vez disso, chegou a seu destino 10 minutos após a partida. "Fiquei agradavelmente surpresa com a vista magnífica de Manhattan", disse. Ela também notou as belas casas vitorianas restauradas que existiam por ali. Quando chegou ao churrasco, perguntou a George sobre os preços das casas. Ele disse que havia uma à venda do outro lado da rua, mas o preço estava além do orçamento dela. Mesmo assim, Bonnie divertiu-se muito no churrasco e no dia seguinte mandou para George um presente de agradecimento.

Duas semanas depois, Bonnie recebeu um telefonema de George dizendo que negociara o preço da casa, baixando-o até à soma que ela podia pagar. "Ele convenceu os proprietários a dispensarem o corretor e, sem comissão a pagar, o preço, mesmo mais baixo, seria compensador", disse Bonnie.

Era uma casa de sonho para Bonnie e seu marido, e eles a compraram. "Estamos a 10 minutos da cidade e meu marido está a 5 minutos de distância da pesca. E, o melhor, temos a mais simpática vizinhança que poderíamos desejar. Quem pensaria que Nova Jersey seria a luz no fim do túnel para uma nova-iorquina irredutível?"

Quatro maneiras de dizer "sim" em vez de "não"

Mas não é possível dizer "sim" a todos o tempo inteiro. Algumas vezes a resposta tem de ser "não". Como em "não, você não pode viajar nas férias com outros 12 adolescentes de 16 anos" ou "não, não posso ir trabalhar pelo quinto fim de semana seguido".

Você também pode sentir que dizer "sim" nunca foi muito difícil para você. Você já diz "sim" a *todo mundo* – seus colegas de trabalho, sua sogra, os escoteiros –, e isso a está matando!

"Dizer 'sim' até chegar ao topo" não significa atender sempre aos interesses dos outros. Significa encontrar *alguma coisa* a que você possa dizer "sim". Então, da próxima vez que ficar tentado a dizer "não", experimente, em vez disso, uma das seguintes afirmações:

"Sim, quero ajudar."

Recentemente, Robin recebeu uma dica sobre um novo negócio: *Uma recrutadora de executivos, por meio de quem freqüentemente contratamos gerentes de contas, enviou-me a recomendação de um trabalho para a Orthodox Union, um grupo judaico ortodoxo. Não podíamos aceitar o serviço porque já trabalhávamos para o United Jewish Communities. Mas eu não queria apenas dizer "não", então telefonei para várias pessoas e descobri alguns amigos da agência que estavam interessados na conta. Perdi um pouco de tempo fazendo isso, mas era importante para mim ajudar a recrutadora. O mercado é muito competitivo e quero que ela nos envie os melhores profissionais. Que melhor maneira haveria de mostrar a ela que este é um bom lugar para trabalhar?*

Mesmo que você particularmente tenha de dizer "não", normalmente existe um "sim" alternativo. Ajudando a resolver o problema do outro – por exemplo, sugerindo alguém que seja capaz de ajudá-lo –, você mantém a energia positiva em movimento. Muitas vezes uma proposta que não soa muito atrativa para você pode ser uma grande oportunidade para alguém mais. O sócio novato pode adorar representar a companhia em um encontro de vendas em Topeka. Ao resolver isso, você deixará duas pessoas felizes – e ainda economiza uma passagem aérea.

"Sim, você pode fazer melhor"

Como mães e patroas, muitas vezes temos de dizer às pessoas coisas que elas não querem ouvir. Se alguém do nosso escritório apresenta um trabalho que não achamos inteiramente adequado, obviamente não podemos dizer que está maravilhoso. Mas tentaremos encontrar algo positivo para dizer, algo que seja verdadeiro. Por exemplo, se um redator nos traz um roteiro ruim, lembramos a nós mesmos que é apenas um roteiro – e que ele já fez muitos outros ótimos. Então, em vez de dizer "está muito ruim", motiva muito mais dizer "você faz um trabalho tão fantástico. Acho que este não está à sua altura".

"Sim, vou vê-lo"

Leva apenas um minuto para enviar um bilhete de agradecimento ou responder a quem enviou um currículo não solicitado, mas essas pequenas notificações de recebimento são fáceis de negligenciar. Afinal, você tem 800 mil coisas para fazer. Por que perder esse tempo, se você não tem sequer um trabalho para oferecer? Mas, quando joga um currículo no lixo sem uma resposta, você faz com que ele não exista. É por isso que temos a política de responder a cada e-mail e telefonema que recebemos, mesmo que tudo que tenhamos para dizer seja "infelizmente não temos nenhuma possibilidade aqui, mas obrigado por se lembrar de nós e boa sorte".

Uma simples resposta como essa ajuda a criar uma boa vontade que ecoará durante décadas. Espalha-se a notícia de que sua empresa tem gente simpática – uma publicidade que não há dinheiro que pague. E leva apenas segundos.

Se mesmo assim você acha que é ocupado demais para responder a todos os seus e-mails, pergunte a si mesmo se é mais ocupado do que o presidente de uma empresa de médio porte. Uma recente pesquisa do *Wall Street Journal* descobriu que 39 entre 44 presidentes entrevistados respondiam pessoalmente aos e-mails dos empregados – mesmo que isso significasse responder às 11 da noite ou de pé num elevador com seus celulares. Para o presidente da Dell Computers, Michael Dell, isso significa passar várias horas por dia lendo cada um dos mais ou menos 200 e-mails que recebe num período de 24 horas.

Muitas das mais importantes pessoas dos Estados Unidos entendem a importância desse tipo de reconhecimento. O prefeito de Nova York, Michael Bloomsberg, surpreendeu uma nova-iorquina descontente ao atender o telefone de sua casa às 10 horas da noite. Quando os repórteres perguntaram ao prefeito como a mulher conseguira o número do telefone, ele respondeu que estava no catálogo. Ele disse à mulher que não estava aborrecido com o telefonema, mas pediu que, da próxima vez, ela não ligasse tão tarde.

Você é realmente mais ocupado do que Michael Bloomberg ou Michael Dell? Reserve tempo para dizer "sim" a todos.

"Sim, seus talentos estão em outra área"

Warren Buffet diz que nunca demitiu ninguém. Só ajudou os funcionários a encontrarem o posto certo em sua empresa. Tentamos seguir essa filosofia na The Kaplan Thaler Group. Se alguém não se dá bem em uma posição, continuamos tentando outras até encontrarmos o trabalho certo para aquela pessoa. Descobrimos que a lealdade que demonstramos a nossos empregados é retribuída vezes sem fim.

Infelizmente, não temos sido capazes de manter uma porcentagem zero de demissões. E, por mais que você doure a pílula, demitir alguém é um enorme "não".

Recentemente, tivemos de demitir uma funcionária que não estava interessada em mudar de posição na empresa. Ela só queria um cargo, mas não funcionava bem nele. Embora a deixássemos partir, ela apreciou o fato de que tentamos encontrar um jeito para ela ficar e nos enviou um bilhete muito doce, dizendo isso. Robin escreveu, em resposta: "Desejo-lhe muita sorte. Sei que existem muitos talentos em você e, se houver alguma coisa que eu possa fazer para ajudá-la a descobri-los, é só me procurar."

Uma demissão é uma demissão. É uma experiência terrível e estressante que ninguém deseja ter. Mas a verdade é que muitas vezes representa o empurrão de que uma pessoa precisa para começar a seguir na direção certa. Durante seu curso universitário, Linda teve exatamente essa experiência com um professor de música:

Estudei composição com um compositor que havia ganhado o Prêmio Pulitzer chamado Mario Davidovsky, um pioneiro da música eletrônica. Eu fui péssima. Ele queria que eu compusesse música atonal, contemporânea, mas tudo o que eu escrevia soava como cançoneta da Broadway. Um dia ele me olhou direto nos olhos e disse com seu forte sotaque argentino: "Liiinda, você não pode fazer isso. Mas você seria muinnnto, muinnnto boa escrevendo jingles."

Fiquei arrasada. Na ocasião eu disse: "Mas que ousadia. Que observação grosseira." Mais tarde, porém, refletindo melhor, percebi, "que bela mudança de carreira". Ele estava 100% certo e logo depois iniciei minha carreira na publicidade.

Anos mais tarde, escrevi: "Não quero crescer, sou um garoto Toys 'R' Us", um dos jingles de maior popularidade da história americana de uma das principais redes de lojas de brinquedo dos Estados Unidos. Sinto-me extremamente grata ao meu professor, porque ele me disse da maneira mais gentil possível o que eu não podia fazer. E me ajudou a descobrir o que podia.

Finalmente, há ocasiões em que dizer "não" não é questão de escolha. O técnico de futebol americano do Notre Dame, Charlie Weis, confrontou-se com isso quando um rapaz agonizante fez um último pedido: ele queria sugerir a primeira jogada da próxima partida. Infelizmente, o rapaz morreu antes do dia da partida, mas Weis estava decidido a atendê-lo. Quando a partida começou, parecia que a jogada sugerida pelo rapaz não ia funcionar. O quarterback (jogador responsável por iniciar a jogada) perguntou a Weis o que fazer, e ele disse que não tinham escolha – seguiriam as instruções do rapaz. O quarterback acabou completando o passe e o time teve um grande avanço em campo.

Os especialistas prefeririam um jogo diferente, claro. Mas o fato é que nunca sabemos o que acontecerá quando dizemos "sim" em vez de "não". E, algumas vezes, fazer a escolha "de especialista" não é a decisão correta. Há ocasiões em que precisamos apenas calar a boca e escutar.

Dica de gentileza: Torne-se uma platéia ativa

O ex-presidente Clinton era conhecido por sua capacidade de estabelecer contato imediato com qualquer um que encontrasse. Não importa quantas pessoas estivessem na fila para cumprimentá-lo, ele fazia cada uma se sentir única na sala, como se ela fosse o centro do universo. Compare isso com a última conversa que teve com um enfadonho alpinista social em uma festa – você sabe, aquele cara que olhava por cima dos ombros em busca de alguém mais importante para conhecer e cumprimentar.

Todos temos a capacidade de fazer com que as pessoas se sintam muito importantes. Precisamos apenas dar a elas toda a atenção e olhar para nós mesmos através de seus olhos. Apesar de todo o tempo que gastamos, obcecados, diante do espelho – examinando o cabelo, a barriga, as rugas –, é surpreendente como muitos de nós gastam tão pouco tempo pensando em como realmente olham para os outros. Da próxima vez em que assistir a uma palestra ou comparecer a uma grande reunião, dê uma olhada nas pessoas em torno de você. Quantas estão com a atenção concentrada no orador? A melhor maneira de dizer "sim" é, simplesmente, prestar atenção.

Dica de gentileza: Descubra o "sim" no "não"

Escreva as últimas cinco coisas para as quais você disse "não" – os dias de férias que um empregado queria, o brinquedo caro que seu filho pediu, o filme de terror que seu namorado queria ver. Depois pergunte a si mesmo/a o seguinte: Será que esse "não" era inteiramente necessário? (O resto da equipe ficaria desfalcada por alguns dias, mas também veriam que você está comprometido em deixar que as pessoas tenham sua folga quando precisam.) Haveria um "sim" alternativo? (Como sugerir que seu filho fizesse tarefas extras para ganhar dinheiro e economizá-lo para o brinquedo.) Será que dizer "sim" a beneficiaria de alguma maneira? (Talvez você gostasse do filme de terror.) Habituar-se a pensar no "sim" pelo menos ajudará você a encerrar a "cadeia de 'nãos'".

CAPÍTULO 8

Cale a boca e escute

Pouco depois que criamos a The Kaplan Thaler Group almoçamos com o presidente de uma agência rival, agora aposentado. Ele estava muito ansioso para nos dizer o quanto sua empresa era superior à nossa. Podíamos ter discutido com ele, tentado derrubar suas alegações, mas, em vez disso, deixamos que falasse. Enquanto ele discorria sobre o brilho da sua empresa, ouvíamos em silêncio.

Depois de algum tempo, ele começou a revelar detalhes bastante íntimos da sua empresa, inclusive suas táticas competitivas, taxas de clientes, estratégias da agência, etc. Também mencionou um novo negócio que sua empresa estava perseguindo, algo para o qual não tínhamos sido convidados a concorrer. Fomos atrás, entramos na concorrência e ganhamos o negócio. Ouvir, em vez de discutir, fez aquele almoço valer muito a pena.

Por que a maioria de nós gosta tanto de falar? Porque queremos ser notados. É eletrizante se sentir o centro do universo. Mas, quando você tagarela sem parar, gasta todo o oxigênio e a energia da sala, o que é debilitante para todos os demais.

Além disso, você perde seu tempo. Afinal, você já sabe o que sabe. Cada minuto que gasta tentando impressionar alguém é um minuto em que não está obtendo novas informações. Como escreve Larry King: “Minha primeira regra de conversa é: não aprendo nada enquanto estou falando.”

Veja a seguir como sintonizar sua capacidade de escutar.

Deixe o outro ser mais inteligente

Algumas vezes é importante deixar o mundo saber como você é inteligente – digamos, quando você tenta entrar em Harvard ou se candidata à Faculdade de Medicina. Mas a pessoa verdadeiramente inteligente entende os limites do poder do cérebro. O QI é responsável apenas por uma pequena percentagem do sucesso pessoal na vida. Porque o QI, como a maioria dos outros testes acadêmicos, mede a capacidade de uma pessoa solucionar problemas quando ela está sozinha. Não pode medir a capacidade que ela tem para negociar acordos, fazer críticas construtivas ou consolar um amigo. Essa inteligência social terá muito mais impacto na vida do que o conhecimento dos sonetos de Shakespeare ou dos algoritmos matemáticos.

Quando deixa o outro brilhar, você não apenas ganha novas informações como também conquista a boa vontade dele.

Qualquer pessoa gosta de conviver com quem a faça sentir-se inteligente. Para Jay Leno, esta é uma regra fundamental para quem é apresentador de programa: “O truque é fazer o convidado parecer bem às custas do apresentador. Os programas que tendem a fracassar são aqueles em que o apresentador aparece bem, mas às custas do convidado. No final, aquele apresentador percebe: ‘Ei!, por que não consigo mais atrair novos convidados?’”

Mantenha a simplicidade

A The Kaplan Thaler Group é muito barulhenta. É isso que a torna um lugar divertido para trabalhar – há uma porção de pessoas especiais, muito entusiasmadas para contar suas idéias a todo mundo. Um dia, estávamos debatendo idéias para o Foxwoods, o cassino de Connecticut. Todos apresentavam idéias muito sofisticadas sobre o que faria o freqüentador do cassino vibrar. Lemos atentamente extensos levantamentos e pesquisas demográficos. Avaliamos as idéias já postas em prática no cassino. Fizemos perguntas fundamentais, como: "Que tipo de experiência essencial as pessoas procuram em um cassino?" "Qual é a verdadeira sensação de ganhar?"

O tempo todo Chris Wauton, nosso diretor de planejamento estratégico, permaneceu quieto. Chris é um publicitário brilhante, educado em Oxford. Para sermos inteiramente justos, é verdade que qualquer coisa dita com sotaque britânico soa, automaticamente, 25% mais inteligente.

Chris fizera detalhadas pesquisas em Foxwoods, entrevistando inúmeros clientes. Quando ele finalmente começou a falar, todos nos inclinamos para a frente, ansiosos para ouvir o que tinha a dizer. Ele olhou para nós e largou: "Não sei. Parece que Foxwoods é... bem... *divertido.*"

Caímos na gargalhada. Claro, ele tinha razão. Às vezes a resposta mais simples é a melhor. Chris foi capaz de resumir a experiência de ir a Foxwoods em uma única palavra porque ficou o tempo todo ouvindo e não pontificando. E, usando sua percepção em nossa proposta, ganhamos o negócio.

Robin logo aprendeu essa lição:

Quando comecei minha carreira em publicidade, tínhamos um cliente, a Heublein Distillers, em Connecticut, cuja sede ficava próxima do lugar em que vivia o meu chefe. Como ficava no caminho, nos dias em que tínhamos reunião com o cliente eu costumava pegar o chefe em casa. Por conta disso, freqüentemente, a pessoa mais nova da equipe – eu – passava uma hora na ida e outra na volta com uma das pessoas de mais alto posto na empresa. Eu ficava envergonhada sobre o que conversar. Ele era um chefão e eu não queria parecer boba na frente dele.

Com o tempo, percebi que nosso chefe era um grande conversador. Era capaz de falar sobre qualquer assunto, por mais complicado que fosse, durante horas. Então, a cada manhã, eu começava com uma pergunta. Por exemplo, o que ele achava sobre os anúncios na televisão de bebidas como a Smirnoff, principal marca de vodca do nosso cliente. Ou pedia a opinião dele sobre a política de empregos da agência. Como na época eu não era ninguém, ele me contava tudo. Obtive uma tonelada de informações internas, bem como esclarecimentos e análises dignas de um curso de administração apenas fazendo perguntas e ouvindo as respostas.

Quando você faz perguntas, diz às pessoas que gosta delas, que está interessado no que elas têm para dizer. Você também envia uma mensagem muito sutil de que é um indivíduo brilhante e inquisidor que gostaria de saber mais. É por isso que mesmo a menor pergunta pode ter um enorme impacto...

Ruth Downing Karp começou sua carreira publicitária na J. Walter Thompson nos tempos em que as mulheres usavam luvas e chapéus para trabalhar. Quando tinha 20 anos, ela foi à sua primeira reunião, na qual um pesquisador fez uma apresentação de várias estatísticas de vendas que analisara. Enquanto ele falava, as pessoas na sala o enchiam de perguntas e faziam comentários. A certa altura, Ruth percebeu que ela era a única pessoa que ainda não havia falado. Ficou nervosa, pensando que seu silêncio daria a impressão de que não estava interessada ou, simplesmente, não estava prestando atenção. Então ouviu cuidadosamente quando o pesquisador disse que, se eles executassem determinado plano, o crescimento das vendas seria de 7,5 %.

Ruth ergueu os olhos e, tranqüilamente, perguntou: "Sete e meio por cento?"

O pesquisador olhou-a, ligeiramente perturbado. "Não é de 7,5%?", perguntou. Supôs que ela o questionava porque sabia algo que ele ignorava.

"Não sei", disse ela honestamente. "Estou apenas perguntando."

Então outra pessoa disse: "Entendo o que ela quer dizer. Quando examinamos a questão de uma perspectiva diferente, o resultado não é esse."

Ficando quieta, Ruth aprendeu muita coisa sobre a maneira de causar uma impressão inteligente. Na verdade, quando o pesquisador reviu seus números percebeu que cometera mesmo um erro! Como diz a Bíblia: "Até um tolo, quando mantém a calma, é considerado sábio." Ruth foi em frente e se tornou um dos diretores mais criativos da agência.

Não discuta tanto

Você chega atrasado à reunião. Deixa de apresentar o relatório a tempo. Estava dirigindo a 120 quilômetros por hora, numa área cuja velocidade máxima permitida era de 80. E lá vem uma torrente de longas e tortuosas explicações sobre trânsito, problemas de comunicação, velocímetros quebrados.

Sempre que surgem problemas ou conflitos, há uma tendência

natural a tentar "falar muito para resolver a situação". Mas, algumas vezes, você ganha sua causa e se safa calando a boca e ouvindo.

Foi o que Jonathan descobriu quando seguia velozmente para um casamento, já atrasado, com sua mulher e sogra a reboque.

Quando um policial o fez parar e informou que ele havia ultrapassado o limite de velocidade atrás de um guarda que estava de folga, Jonathan, de bom grado, admitiu que não tinha idéia disso. "Brinquei um pouquinho com o guarda, dizendo que foram as mulheres que me forçaram a fazer aquilo, etc. Mas não discuti. O que poderia fazer? Estava correndo mesmo", contou Jonathan.

Depois de entregar a multa a Jonathan, o guarda disse, muito claramente, que às vezes é possível evitar as multas. Embora Jonathan insistisse para que ele lhe desse detalhes, o policial disse que não poderia falar mais nada. Então, embora o tribunal ficasse a duas horas de distância da cidade onde morava, Jonathan decidiu ir até lá. "Basicamente, eu esperava que o guarda não aparecesse e que o assunto fosse arquivado," disse Jonathan.

Não foi o caso. "Cheguei ao tribunal e eles disseram: 'Ah, vejam só, é o sujeito que corre atrás dos guardas.'"

Isso aconteceu numa pequena cidade rural. O juiz usava um cardigã e jeans. O guarda disse: "Juiz, quando você pára alguém e o multa por excesso de velocidade, quantas vezes acha que a pessoa reagirá com simpatia?"

O juiz disse: "Imagino que não com muita freqüência."

O guarda pensou um pouco. "Quer saber", disse, com um sorriso, "ele estava *estacionado* quando eu o parei."

Com isso, Jonathan levou apenas uma multa por estacionamento irregular e uma advertência.

Todos são dignos de serem ouvidos

Jay Leno diz que quando quer saber se alguma coisa é engraçada pergunta à pessoa menos importante na sala. "E geralmente acredito no que ela me diz. Vivemos numa sociedade de exclusão. Há essa idéia de que você deve tentar manter as pessoas do lado de fora: 'Você não pode entrar neste clube, tem de ser sócio, você não tem dinheiro suficiente, você não é bonita o bastante.' Mas, se você viver a vida com a atitude oposta e tentar incluir todo mundo, as portas vão se abrir."

Também pode ajudar muito seu negócio. Certa vez conversamos com o dirigente de uma grande rede de restaurantes que precisava descobrir por que milhares de pratos da empresa eram quebrados todos os anos. Ninguém na alta administração conseguia entender o motivo, e estava custando uma fortuna à empresa substituir os pratos.

Uma noite, o executivo discutiu o problema com uma colega enquanto jantavam num dos restaurantes da rede. Um garçom ouviu por alto a conversa e o levou até a cozinha. Lá, apresentou a ele um dos lavadores de pratos. Num inglês capenga, o ajudante de cozinha comentou que a máquina de lavar louças do restaurante tinha um mecanismo defeituoso que fazia os pratos trepidar muito enquanto eram lavados. A trepidação pressionava os pratos, que ficavam frágeis e se quebravam.

Sabendo disso, o restaurante pôde resolver o problema e a rede economizou uma enorme quantidade de dinheiro. O executivo recompensou o empregado, dando a ele um cheque de 50 mil dólares, 10% do meio milhão de dólares que a empresa estimou que economizaria. Além disso, o executivo decidiu que todo empregado que apontasse maneiras de melhorar o trabalho, propiciando à empresa diminuir suas despesas, receberia 10 % da economia feita.

Abraham Lincoln entendia a importância de obter informações diretamente das fontes, em vez de confiar em consultores para interpretar a vontade do povo.

No livro *Liderança segundo Abraham Lincoln*, o autor, Donald T. Phillips, descreve como Lincoln foi um dos primeiros líderes americanos a entender a importância de circular. Ele permitiu que muitos cidadãos o visitassem e compartilhassem seus pensamentos. "Chamo esses encontros de 'banhos de opinião pública'... Embora não sejam agradáveis em todos os detalhes, o efeito, em conjunto, é renovador e revigorante", disse Lincoln. Cem anos depois, os gurus do mundo dos negócios Tom Peters e Robert Waterman publicariam *Management by Wandering Around* (Circular para administrar).

Tentando entender melhor o consumidor americano médio, a vice-presidente da Procter & Gamble, Susan Arnold, levou essa fórmula um passo adiante. Na P&G há um lema: "O consumidor é quem manda." Espera-se que os funcionários conheçam o consumidor. Então, durante duas semanas, Arnold deu a si mesma um orçamento, fixou as despesas em 60 dólares por semana. Isso significava que ela tinha de lidar com questões como: "Encho o tanque de gasolina ou compro xampu?" Ela se descobriu apertando o tubo da pasta de dentes para aproveitar o restinho e parou de usar edifícios-garagens. "Fiz isso juntamente com toda a minha equipe da P&G Beauty Leadership, cerca de 12 pessoas na época. A idéia era estar junto de nossos consumidores, vivendo com a renda média que eles tinham em cada uma das nossas regiões", contou-nos Arnold. A aprendizagem central desse estudo prático era que as mulheres que compravam seus produtos estavam constantemente pesando uma escolha diante de outra: "É sempre uma questão de escolha – devo gastar no xampu mais caro e desistir da nova tonalidade de batom, ou o xampu mais barato dará conta e então poderei também ficar com o batom? Para nós, isso significa que temos de proporcionar qualidade aos nossos consumidores – os benefícios que o produto traz devem corresponder a seus preços."

Arnold entende o que todos os grandes líderes sabem: nos negócios, quanto mais você se identificar com o consumidor, melhor poderá servi-lo. A empatia é a habilidade mais importante para o sucesso na vida. No capítulo seguinte nós lhe diremos o motivo.

Dica de gentileza: Fique de boca fechada

Durante um dia, tente falar o mínimo possível. Tente não ser o centro das atenções. Quando estiver tentado a contar uma história, faça uma pergunta. Quando estiver tentado a dizer "Ih, aconteceu o mesmo comigo...", pergunte: "Como você se sentiu?" Não seja antipático. Se alguém perguntar o que você acha do novo estádio esportivo que a cidade está construindo, responda à pergunta. Mas depois leve a conversa novamente para a opinião da outra pessoa. No fim do dia, faça uma lista de tudo o que você aprendeu. Quanto você teria perdido se passasse o tempo falando sobre si mesmo?

Dica de gentileza: Pague suas dívidas

Você pensa que é inteligente? Conclua as seguintes frases:
"Nunca chegaria onde estou sem..."
"Tenho uma grande dívida com..."
"Tiro a minha coragem de..."
"Meu maior professor foi..."
Afinal, nenhum de nós vai para a frente sozinho.

CAPÍTULO 9

Encoste sua cabeça no ombro deles

Quando Ken Auletta, jornalista premiado e colunista da *New Yorker*, estava cobrindo o julgamento antitruste da Microsoft para a revista e para seu livro *World War 3.0: Microsoft and Its Enemies* (Guerra Mundial 3.0: a Microsoft e seus inimigos), ele marcou a primeira das três longas entrevistas que acabaria fazendo com o juiz do caso, Thomas Penfield Jackson. Auletta tinha muitas perguntas desagradáveis a fazer a Jackson sobre o julgamento, Bill Gates e as muitas determinações do juiz. Mas, na primeira vez em que se encontraram, Auletta não falou sobre nenhuma dessas coisas. "Em vez disso, perguntei sobre sua vida, seus pais e as experiências que tivera", diz Auletta.

A abordagem de Auletta pode parecer estranha. Ele estava escrevendo uma grande matéria para uma revista de prestígio e para a editora Random House. Por que desperdiçaria seu primeiro encontro falando sobre assuntos próprios de uma festinha infantil? Em primeiro lugar, ele conseguiu informações confidenciais sobre os valores do juiz que dariam à sua matéria profundidade e conteúdo. Em segundo lugar, ele passou a conhecer melhor o juiz, e o juiz passou a conhecê-lo. "Acho que ganhei sua confiança por não mostrar uma avidez por manchetes imediatas", diz Auletta. "Conseguem-se muito mais informações sendo cortês e paciente."

Os jornalistas, comenta Auletta, não têm fama de gentis. Boa parte do seu trabalho envolve perguntas desagradáveis: "Sua organização grampeou o telefone de cidadãos americanos?" "Por que você vendeu as ações da sua empresa enquanto dizia aos seus empregados para comprarem mais?" "Como você se sentiu quando seu marido fugiu com a Angelina Jolie?" Algumas vezes as respostas a essas perguntas servem ao interesse público; outras vezes apenas vendem exemplares de revistas de fofocas. Seja como for, para descobrir os duros e frios fatos, o repórter inteligente aprende rapidamente a ser muito, muito gentil mesmo.

"Não temos o poder da intimação, então as pessoas não são obrigadas a falar conosco", diz Auletta. "E não falarão se a experiência for parecida com a de ter os dentes perfurados por um dentista. No entanto, elas freqüentemente falarão com os jornalistas se estes forem pessoas agradáveis, que não se limitam a fazer perguntas, mas efetivamente ouvem as respostas, e que parecem tão interessados em entender os porquês quanto em produzir manchetes."

Tratar os outros com compaixão e empatia não é apenas uma tática para jornalistas experientes. Na verdade, é o caminho mais seguro para uma vida feliz e bem-sucedida.

Mostramos a você de muitas maneiras como, sendo gentil, uma pessoa alcança o que quer. Como um pequeno elogio ou presente pode conduzir a oportunidades surpreendentes. Como dizer "sim" pode fortalecer os relacionamentos. Como você pode ajudar a si mesmo ao ajudar os rivais e competidores. Agora, chegamos à habilidade mais importante para quem quer utilizar o poder da gentileza: a capacidade de se colocar no lugar do outro, de repousar sua cabeça no ombro alheio.

De acordo com Daniel Goleman, pessoas com boa empatia – ou seja, pessoas capazes de entender o que os outros estão sentindo e ver as coisas da perspectiva deles – são mais felizes, mais populares e têm vida amorosa melhor. E também obtêm mais sucesso nos negócios. "As pessoas empáticas são ótimas em reconhecer e satisfazer as necessidades de clientes, fregueses ou subordinados. Parecem receptivas, desejosas de ouvir o que os outros têm a dizer. Ouvem cuidadosamente, percebendo em que as pessoas estão realmente interessadas e reagindo adequadamente", escreve Goleman em *O poder da inteligência emocional.*

Veja o sucesso de Gordon Bethune, que, ao longo de 11 anos dirigindo a Continental Airlines, transformou a empresa aérea naquela que é, provavelmente, a mais bem-sucedida transportadora tradicional dos Estados Unidos. Alguém, certa vez, perguntou a Bethune como ele entendia tão bem as pessoas. "Eu costumava ser uma delas", brincou ele. Antes de Bethune se tornar presidente, em 1994, o percentual de chegadas no horário previsto da Continental era constantemente o mais baixo do país – e, muitas vezes, inapelavelmente o último. Os atrasos de vôos estavam custando à empresa aérea US$ 5 milhões por mês. Bethune percebeu que a melhor maneira de motivar seus empregados a melhorar o serviço era fazer com que se sentissem parte do sucesso da Continental. Então iniciou um programa que dava a cada um dos empregados – funcionários dos portões, de bordo, carregadores de bagagem – uma gratificação de 65 dólares todos os meses que a empresa aérea ficasse entre as cinco mais pontuais. Com 40 mil empregados, o programa era caro – 2,5 bilhões de dólares por mês –, mas nem de longe tão caro quanto os atrasos. Pelos cálculos de Bethune, assim ele podia melhorar o serviço e reduzir as despesas.

Funcionou. Apenas três meses depois de lançado o programa, a Continental alcançou o primeiro lugar em pontualidade pela primeira vez na história e, posteriormente, se manteve firme entre as cinco primeiras. O programa funcionou tão bem que a Continental pôde elevar a exigência. Hoje, a empresa precisa estar entre as três mais pontuais para os que funcionários recebam a gratificação. Mas eles também recebem uma recompensa maior – 100 dólares – quando a Continental termina o mês em primeiro lugar.

Na medicina, a empatia é agora considerada tão importante que faz parte do currículo das escolas de medicina credenciadas dos Estados Unidos.[1] Os pesquisadores descobriram que os médicos que demonstram sensibilidade com seus pacientes enfrentam menos processos do que aqueles que oferecem apenas diagnósticos frios e distanciados. Em seu livro *Blink – A decisão num piscar de olhos*, o autor, Malcolm Gladwell, detalha um estudo feito pelo pesquisador Wendy Levinson sobre um grupo de médicos. Metade deles jamais fora processada; a outra metade fora levada ao tribunal pelo menos duas vezes. Levinson descobriu que os médicos que não haviam sido processados falavam com seus pacientes em média três minutos a mais do que aqueles que tinham pacientes litigiosos. Eles também possuíam vozes mais suaves e usavam mais o humor. "As pessoas simplesmente não processam médicos de que gostam", disse Alice Burkin, uma advogada de uma empresa especializada em casos de imperícia médica, a Gladwell. "Em todos os anos que trabalho neste ramo, nunca vi um cliente em potencial entrar e dizer: 'Realmente gosto desse médico e me sinto muito mal por fazer isso, mas quero processá-lo.'"

Claro, quanto mais cedo melhor para se aprender empatia. É por isso que agora as escolas primárias estão ensinando essa lição. No Canadá, um programa escolar chamado Raízes da Empatia ensina compaixão a quase 40 mil crianças por ano. E, no final de 2005, o Reino Unido lançou um plano para ensinar habilidades emocionais a escolares britânicos.

Um dos principais modos empregados pelas escolas para ensinar empatia é o trabalho voluntário. Em *The Healing Power of Doing Good* (O poder curativo de fazer o bem), o escritor Allan Luks descreve um programa utilizado no Texas com adolescentes em risco de abandonar a escola. Depois que os garotos começaram a ensinar na escola elementar local, o percentual de abandono escolar caiu da taxa prevista de 35% para 6%.

Ajudar os outros não apenas faz crescer a auto-estima como pode, de fato, melhorar a saúde. Um estudo realizado em 2003 na Universidade do Michigan acompanhou 423 casais idosos durante cinco anos. Nele foi constatado que as pessoas que cuidavam de outras – fosse através de trabalho voluntário ou, simplesmente, sendo atenciosos para com vizinhos e cônjuges – tinham um percentual 60% menor de morte prematura do que os demais.

Como utilizar o poder da empatia

Todos nós, com exceção do ocasional narcisista e do sociopata, somos naturalmente empáticos. É por isso que, se sua mãe lhe telefona extremamente estressada por causa de um jantar no próximo feriado, você também começa a se sentir ansioso. É por isso que você pode começar a se sentir sonolento ao observar o bocejo de um colega. Recém-nascidos começam a chorar quando ouvem outro bebê chorando. "Temos uma apurada sintonia com o fluxo de sinais emocionais que vêm dos rostos e posturas de outra pessoa e reagimos com expressões próprias. Pessoas reais nos mobilizam de um modo que um problema abstrato jamais conseguiria", escreve o primatologista Frans de Waal em *Eu, primata – Por que somos como somos?*.

Infelizmente, muitos de nós perderam o contato com a natureza empática. Com a marcha frenética da vida do século XXI – notícias alarmantes o dia inteiro, as constantes e sucessivas interrupções dos telefones celulares e BlackBerrys – facilmente nos tornamos tão distraídos e esmagados que deixamos de ver as pessoas bem à nossa frente. Então, aqui estão algumas maneiras para nos religarmos àquele maravilhoso e antigo DNA que jaz adormecido dentro de todos nós:

Assobie enquanto trabalha

Poucos anos depois de fundarmos a The Kaplan Thaler Group fizemos uma tentativa de obter a conta do Coldwell Banker. Não acreditávamos muito que a ganharíamos. Afinal, algumas agências muito grandes estavam disputando a conta – todas com recursos e credenciais muito maiores do que os nossos.

Fizemos uma apresentação bastante criativa e estávamos muito orgulhosos do trabalho. Mesmo assim, ficamos muito surpresos quando nos foi dado o negócio. Quando perguntamos aos executivos do Coldwell Banker como tínhamos derrotado competidores tão formidáveis, eles nos disseram que, claro, tinham gostado do nosso trabalho, mas também ficaram impressionados com a maneira como estávamos sempre rindo e fazendo piadas uns com os outros. Eles disseram que parecíamos realmente gostar uns dos outros. O comentário nos surpreendeu. Naturalmente, sabíamos que nem todos têm a sorte de gostar de verdade de seus colegas, como acontecia conosco. Mas imaginávamos que os profissionais, na sua maioria, podiam conviver efetivamente e, pelo menos, fingir que conseguiam tolerar uns aos outros quando diante de um cliente em potencial.

Não era verdade, nos contou o pessoal do Coldwell Banker,

explicando ainda que, em muitas das reuniões, eles tiveram a impressão de que os funcionários das agências jamais haviam trabalhado juntos, ou então estavam ocupados demais em disputar posições. Os executivos do Coldwell Banker ficaram preocupados com a possibilidade de gastarem mais tempo lidando com a política interna das outras agências do que construindo uma boa campanha.

Há muitos mitos sobre o local de trabalho – de que, por exemplo, se você se diverte no escritório, deve estar fazendo bobagens. Mas Daniel Goleman argumenta que empregados felizes são melhores para o resultado final da empresa. Empregados satisfeitos não apenas são mais produtivos como também alegram os clientes – e clientes felizes compram mais. Um estudo quantificou o efeito que o moral do empregado tem sobre as vendas, revelando que a renda aumenta 2% para cada 1% de melhora na atmosfera do serviço.

Goleman descobriu que os patrões com estilos empáticos – que sabiam ouvir as preocupações dos seus empregados e dar conta delas de forma efetiva – são mais capazes de se comunicar com seus funcionários e de inspirá-los. Eles mantêm seus empregados por mais tempo e esses empregados trabalham mais duro. De fato, uma pesquisa Gallup com 2 milhões de empregados de 700 empresas americanas descobriu que a produtividade está diretamente ligada ao relacionamento deles com seus supervisores imediatos.

Ser um patrão querido pelos empregados não significa, necessariamente, oferecer grandes gratificações, almoços de luxo e mesas de pingue-pongue – embora tenhamos certeza de que nossa equipe nos diria que mordomias como essas seriam muito bem-vindas. Em vez disso, significa respeitar o trabalho de cada pessoa na empresa. Todas as funções são importantes na The Kaplan Thaler Group. É por isso que, sempre que alguém da nossa empresa obtém sucesso – seja conseguindo uma conta de 40 milhões de dólares ou vendendo um anúncio de televisão de 15 segundos –, sempre tentamos mostrar nosso reconhecimento. Não importa o tamanho do negócio – porque, para um funcionário iniciante, a venda de seu primeiro anúncio, mesmo que pequenino, representa o mundo inteiro. Se não dermos valor a isso, estaremos dizendo, essencialmente, que o trabalho dele não tem importância.

Saia do seu filme

Recentemente, lemos sobre a peça que um incomodado viajante pregou em um usuário de celular que falava muito alto. Jonathan Yarmis estava na sala VIP do Aeroporto LaGuardia, em Nova York, quando ele – e todos os demais presentes – teve de aturar a tagarelice de um homem que mandava inúmeras mensagens de voz. O jovem tagarela ignorou os muitos pedidos para que falasse mais baixo. Como não parava de repetir o número do seu telefone e a cidade para onde viajava, Nashville, Yarmis anotou o número. Quando chegou em casa, em Seattle, Yarmis telefonou para o tagarela às duas da madrugada, hora de Nashville.

"Eu disse: 'Você deve pensar que é muito deselegante telefonar às duas da madrugada'", contou Yarmis ao *New York Times*. "Ele concordou: 'É mesmo.' Eu retruquei: 'Mas, com certeza, é muito menos deselegante do que o comportamento que você teve esta tarde na sala VIP.' Ambos desligamos. Mas dei-lhe uma lição."

Embora não concordemos com a tática de Yarmis, ele sem dúvida deu seu recado. A falta de educação está no auge. Uma pesquisa de opinião da Associated Press, divulgada em outubro de 2005, mostrou que 70% dos americanos acreditam que somos mais grosseiros hoje do que há 20 anos, citando como os mais mal-educados os usuários de telefones celulares que falam alto demais, as pessoas que estacionam seus carros em qualquer lugar e as que usam linguagem obscena em público.

A maioria dos que cometem essas infrações não são más pessoas – apenas desavisados. Estão tão acostumados com os gritos e urros dos filhos que, em um restaurante, não percebem que seus queridinhos estão arruinando o almoço de todos os demais. Sentem-se tão confortáveis com suas roupas informais que não pensam duas vezes se devem ou não usar malhas de ginástica para ir ao teatro. Com certeza, não lhes ocorre que estão ofendendo os atores com seus trajes. É como se todo mundo fosse astro ou estrela do seu próprio filme – *The Bill Show*, *The Heather Show* –, esquecendo-se de que todos os demais têm também seus próprios filmes.

Por isso é importante imaginar como a vida é percebida do ponto de vista de outra pessoa. A filha de Linda, Emily, deu recentemente uma boa lição sobre isso:

Emily trouxe alguns amigos para casa e eu a repreendi na frente deles dizendo que ela tinha de fazer o dever de casa antes de promover festinhas. Mais tarde, Emily disse: "Como você acha que me senti quando gritou comigo na frente dos meus amigos?" De repente, percebi como devia ser constrangedor. Sabia como eu me sentiria se alguém me criticasse na frente de um cliente. Também percebi que faria um trabalho muito melhor, no sentido de motivar Emily a fazer seu dever de casa, se lhe pedisse isso com respeito – e em particular.

Em outras palavras, havia dois filmes passando: o filme de Linda era sobre Linda como mãe responsável. O filme de Emily era sobre Emily sendo tratada como uma pessoa adulta.

No trabalho, aprender a ver os filmes das outras pessoas é particularmente útil nos encontros de criação. Por exemplo, se alguém apresenta uma idéia de que não gostamos, descartá-la de imediato fará com que a outra pessoa se sinta mal. Fazendo perguntas do tipo "Como é que você chegou a esse conceito?" ou "Por que você acha que isso funcionaria nesta campanha?", podemos descobrir algumas idéias realmente ótimas.

Preste atenção às emoções

Quando começamos a trabalhar na campanha da Aflac, a companhia de seguros nos deu pilhas e mais pilhas de informações sobre a empresa. Mas não sabíamos o que fazer com essas informações, até conhecermos seu diretor, Daniel Amos. Na reunião, outra vez recebemos uma lista de fatos e números secos.

Então perguntamos de chofre: "O que realmente o incomoda mais?"

Amos disse: "Estou simplesmente saturado de ir a almoços onde ninguém sabe dizer o nome da minha empresa."

Foi aí que as coisas se esclareceram para nós. A família dele tinha construído aquela empresa. Ele tinha milhares de empregados no escritório e queria que se sentissem orgulhosos de estar ali.

Quando ele começou a falar das suas emoções, poderíamos ter jogado pela janela todas aquelas estatísticas e relatórios de lucros. Ele só queria que as pessoas se lembrassem do nome da empresa.

E assim, sob a brilhante direção criativa de Tom Amico e Eric David, o pato da Aflac foi chocado – e, da noite para o dia, tornou-se uma das campanhas publicitárias mais conhecidas dos Estados Unidos. Desde que o anúncio foi para o ar, em 2000, o pato da Aflac virou um ícone cultural, e só nos primeiros anos as vendas da empresa subiram 55%. O pato da Aflac tem um "escore Q" (coeficiente da pesquisa corporativa que mede a simpatia de pessoas e personagens famosos) mais alto do que o Coelhinho Energizer ou Ronald McDonald. Ele tornou a Aflac um nome nacional, para grande satisfação de Dan Amos – e desgosto de Ben Affleck!

Aceite influências

O Dr. John Gottman – o pesquisador da Universidade de Washington que tem um recorde excepcionalmente alto de previsões corretas de sucesso conjugal – diz que um dos segredos para um relacionamento bem-sucedido é ser capaz de aceitar influências. Por exemplo, vamos dizer que você telefone para dizer a seu marido que vai ter de trabalhar até tarde (como, confessamos, fazemos em excesso) e seu marido diga que está aborrecido porque você trabalhou até tarde todas as noites da semana e ele esperava jantar com você. Você poderia dar uma resposta brusca, do tipo: "Você acha que quero mesmo passar a noite examinando faturas?" Ou ser um pouquinho mais gentil e dizer: "Desculpe, querido, mas essas faturas vencem amanhã."

Você também poderia considerar o ponto de vista dele. Porque o que ele realmente está dizendo, além do fato de que se sente negligenciado, é que seu casamento deveria ser tão importante para você quanto sua carreira. Será que a empresa realmente cairia aos pedaços se você não arquivasse as faturas esta noite? Será que vale a pena pagar o preço, ou seja, magoar seu marido?

Aceitar influências não significa sempre entrar no jogo da outra pessoa. Algumas vezes você tem um prazo e simplesmente tem de esperar que seu cônjuge entenda. Mas será muito mais fácil fazer com que ele (ou ela) entenda se você mostrar constantemente que leva em conta o ponto de vista dele (ou dela) e está disposta (ou disposto) a fazer as mudanças necessárias e ceder no que for preciso.

Olhe-se com outros olhos

"Passei a primeira metade da minha vida tentando não embaraçar minha mãe e a segunda metade tentando não embaraçar minha esposa", brinca Jay Leno. Jay nunca fez uma piada sobre esposas em *The Tonight Show* porque sabe que todo humor está enraizado na verdade. "Todo cômico que você vê fazendo piadas sobre esposas – com exceção daqueles que estão tendo um bebê ou algo parecido – normalmente está enfrentando alguma questão", diz. Leno precisa fazer rir para ficar no negócio, mas uma piada às custas da esposa dele não é engraçada.

Muitos de nós ficamos tão presos a nossos próprios desejos e ambições que nos esquecemos de como nossa motivação pessoal pode afetar os outros. Como patrões, muitas vezes esquecemos que nossos funcionários nos vêem freqüentemente de modo diferente de como nos vemos. Uma vez Robin fez uma piada inesperada com nossa recepcionista após ouvir que a assistente telefonara para dizer que chegaria atrasada porque seu cachorro, muito velho, tivera de ir ao veterinário:

"É sempre o cachorro!", eu disse em tom brincalhão. Tivera muitos cachorros em minha vida e estava expressando compaixão diante do problema. Esses adoráveis vira-latas tomam conta das nossas vidas.

Mas não foi assim que nossa recepcionista ouviu. Ela entendeu que a presidente da empresa estava zangada com a assistente. Então fez a coisa certa: contou à minha assistente que eu estava aborrecida. Mais tarde, a assistente entrou em meu escritório muito agitada. Explicou que morava sozinha e não tinha ninguém para ajudá-la com o cachorro. Eu perguntei: "Do que você está falando?" Ela me contou que ouvira dizer que eu estava furiosa por ela ter se atrasado. Eu então disse: "Nada poderia estar mais longe da verdade!"

Todos tinham boas intenções – apenas estávamos em filmes diferentes. Por isso é tão importante dar às pessoas o benefício da dúvida. Só porque seu colega de trabalho foi lacônico no elevador, isso não quer dizer que ele está zangado com você. Poderia significar uma porção de coisas – que ele brigou com a namorada, que a mãe precisou ser internada novamente, que é segunda-feira. Quando você aprende a ver a perspectiva do outro, quase sempre percebe que não tem nada a ver com você.

Quando você começa a praticar a empatia, desenvolve os instintos de que precisa para sair da sua bolha e se tornar mais sintonizado com as necessidades dos outros. Isso o beneficiará tanto no nível prático quanto no pessoal. Por exemplo, o blogger Paul English ficou frustrado ao tentar falar com um ser humano em seus telefonemas para empresas de serviços públicos. Então criou um site na web que lista a seqüência de números necessária em dúzias de companhias para conseguir falar com um atendente em carne e osso e assim fugir do inferno da voz gravada e do e-mail. Ele imaginou que, se os intermináveis circuitos de voz e e-mails o deixavam louco, então provavelmente havia muito mais gente que se sentia da mesma maneira. O site fez grande sucesso e conseguiu um incrível volume de atenção da mídia, recebendo elogios no programa *Today*, na CNN, na ABC News e no *Wall Street Journal*.

Quando você pratica o poder da empatia, os benefícios freqüentemente surgem indiretamente – e algumas vezes anos depois. Vejam nossa amiga Erin, uma atriz que apareceu em muitos dos comerciais que produzimos.

Erin tinha o problema típico do artista de Nova York. Para conseguir trabalho, a pessoa precisa morar na cidade. Mas morar na Big Apple é obsessivamente caro. Erin sabia que, quando chegasse a hora de ter um filho, ela e o marido provavelmente teriam de se mudar para um local mais barato, o que prejudicaria muito sua carreira de atriz.

Entretanto, ela adorava sua vida na cidade. Não só porque permitia que tivesse o emprego dos seus sonhos, mas também porque dava-lhe a oportunidade de fazer trabalho voluntário numa organização de ajuda aos animais. A tarefa de Erin era combinar os que queriam adotar com os cachorros disponíveis, e a regra era atender os solicitantes por ordem de chegada. "Um dia eu soube de uma mulher que tinha acabado de perder seu adorado cachorro após 14 anos de amizade. Ela estava procurando um beagle para substituir o que acabara de perder", disse Erin.

O bom coração de Erin fez com que ela se interessasse pela mulher – afinal, fora o seu amor pelos cães que a tornara uma voluntária. O problema era que a organização tinha apenas dois beagles disponíveis para adoção e uma longa lista de pessoas interessadas em cães da raça. "Mas alguma coisa na voz daquela mulher me convenceu de que ela precisava de um bicho de estimação em sua vida."

Erin resolveu, então, colocar a mulher no topo da lista. "Mais tarde, eu descobriria que ela morava sozinha, tinha perdido o filho e o marido, ambos para o câncer, e realmente considerava seu cachorro como da família. A vida dessa mulher só tinha significado tendo um cachorro, e de alguma forma eu senti que precisava completar aquele lar com um sortudo adotivo", disse Erin.

Avancemos dois anos: Erin estava grávida e esperava encontrar um apartamento em Nova York que acomodasse o novo integrante da família e permitisse a continuação de sua carreira de atriz. "Precisávamos de um novo lar com espaço para um bebê e estávamos com muitas dificuldades para achar o lugar certo. Por acaso, nossa amiga telefonou para dar notícias do beagle; aproveitei para contar a boa-nova da gravidez e a má sobre a crise de moradia. Ela me disse que tornaria a ligar em seguida", contou Erin. Momentos depois o telefone tocou – um corretor imobiliário, amigo da senhora do beagle, tinha uma informação privilegiada sobre um apartamento fabuloso e a preço aceitável em Manhattan ainda não colocado à venda. Hoje, Erin e o marido têm uma menina linda e o adorável apartamento onde ela vai crescer. E sua carreira de atriz está florescendo!

Não importa se a empatia faz ou não você ganhar um milhão de dólares ou ter a preferência na compra de um imóvel. Acreditamos que voltar sua atenção para os outros é uma maneira mais rica de viver a vida. Qual é a alternativa? Ficar obcecado consigo mesmo – seu cabelo, seu peso, suas finanças? A beleza de focar nas preocupações de outra pessoa é que isso desvia sua atenção das suas próprias preocupações e ansiedades. E é muito mais barato do que uma terapia!

Dica de gentileza: A irritação é a mãe da invenção

Hoje, coloque um caderninho e uma caneta em seu bolso e mantenha-os com você o tempo inteiro. Observe e escute então sobre o que as pessoas se queixam: a fotocopiadora está prendendo as folhas de papel; o vizinho ouve música muito alto; o carteiro sempre bloqueia a caixa de correio. No fim do dia liste 10 soluções para os problemas dessas pessoas. Focando sua atenção nas necessidades dos outros, em vez de em si mesmo, você pode ter idéias criativas e inovadoras.

Dica de gentileza:
Seja a estrela do filme do outro

Pense em alguém com quem você está tendo um conflito. Depois escreva em um papel ou no computador as perspectivas dela quanto ao problema. O importante é não deixar sua mão (ou mãos) parar(em) de se mexer. Mantenha o fluxo de modo a não pensar em excesso sobre a situação. Você quer sentir as emoções do outro e não pensar nelas. É um grande exercício ver as coisas do ponto de vista do outro.

Dica de gentileza:
Descubra o sentimento

Da próxima vez em que estiver numa grande reunião, ou falando ao telefone com um amigo ou parente, faça uma lista de todas as palavras que você ouvir que expressem sentimentos. "Desejo", "espero", "estou aborrecido": o que essas palavras lhe dizem sobre a(s) pessoa(s) com quem você está falando? Que pistas elas lhe dão sobre a maneira como pode tratar melhor das necessidades dessa(s) pessoa(s)?

CAPÍTULO 10

Crie um universo mais gentil

Em 1960, um bem-sucedido homem de negócios francês, Marcel Bleustein-Blanchet, criou uma fundação projetada para ajudar rapazes e moças talentosos a iniciarem suas carreiras. Em determinado ano, a fundação concedeu bolsa a um jovem astrônomo que usou o dinheiro para comprar seu primeiro telescópio.

Mais de 30 anos depois o astrônomo descobriu um novo planeta e decidiu chamar sua nova descoberta de "Planeta Bleustein", em homenagem a seu primeiro benfeitor. Imaginem a satisfação dos descendentes de Bleustein ao saber que a generosidade de seu avô estava sendo reconhecida a anos-luz de distância.

Quando começamos a escrever este livro também não tínhamos idéia de como é forte o poder da gentileza. Sabíamos que ser cortês e educado tinha sido importante em nosso negócio e em nossos relacionamentos pessoais. Mas, até começarmos a conversar com outras pessoas sobre o impacto que a amabilidade tivera em suas vidas, não percebíamos exatamente o quanto poderia ser poderoso um gesto atencioso ou um comentário favorável. Ficamos espantadas pelas conseqüências, algumas vezes de longo alcance, de encontros aparentemente insignificantes –

ajudar uma estranha a carregar a bagagem, dar conselhos sobre a carreira a um jovem empregado. Na verdade, com muita freqüência as pessoas que contavam as histórias ficaram encantadas: antes de contar os acontecimentos, elas próprias não tinham percebido que a origem do seu sucesso ou boa sorte poderia ser localizada num gesto simples e compassivo. Afinal, elas não tinham sido gentis para obter um contrato ou ganhar uma concorrência. Estavam "apenas sendo gentis". Então espantaram-se ao ver o efeito dominó que um simples gesto simpático pode causar.

Enquanto escrevíamos este livro começamos a notar também uma mudança sutil em nossas próprias vidas. Embora acreditemos que somos pessoas gentis, certamente podemos ser também tão desatenciosas quanto qualquer um. Mas, colocando no papel alguns dos nossos pensamentos e insights sobre o poder da gentileza, começamos a agir de forma diferente. Passamos a ser mais atenciosas em nosso dia-a-dia. Examinamos com um novo olhar os milhões de pequenos dilemas morais que todos encontramos a cada dia. Quanto de gorjeta devo dar ao garçom? Dou dinheiro ao mendigo com quem cruzo na rua? Corto os outros na estrada ou mesmo caminhando na calçada? Ou deixo os outros terem preferência?

Quando discordávamos de um colega de trabalho, descobríamo-nos recuando e tentando ver qual é o "filme" dele. Se um amigo era agressivo conosco, assumíamos uma posição de boa vontade antes de reagir com raiva. Em cada conflito que enfrentávamos, perguntávamos a nós mesmas: "Será que existe uma maneira mais gentil?"

E funcionou! O resultado de escrever este livro foi que tivemos menos brigas com amigos, experimentamos mais compaixão pelos colegas e da parte deles para conosco, rimos com mais freqüência. E desfrutamos ainda mais sucesso nos negócios e na vida pessoal. Descobrimos que somos mais sensíveis ao efeito de um comentário sarcástico, mais conscientes de como uma palavra indelicada pode esvaziar a criatividade e o entusiasmo dos outros – e de toda a organização. E, por outro lado, vimos como o elogio e o apoio podem mobilizar toda nossa empresa para uma forma mais solidária de trabalho.

Desde que criamos nossa empresa, temos tido a sorte de atrair não apenas profissionais brilhantes e talentosos, mas algumas das pessoas mais gentis do ramo. E, com seus feitos e ações, elas criaram uma cultura que levou o comportamento delas a ser espelhado e adotado pelos novos contratados, clientes e vendedores. Eles, em essência, criaram um universo mais gentil para si mesmos.

Claro, o sucesso exige mais do que apenas ser gentil – trabalho duro, inteligência e talento também são essenciais. Não estamos afirmando que ser gentil é a única maneira de ir para a frente. Todos podem apontar exemplos em que o idiota grosseiro ficou com o emprego, o reconhecimento, a garota.

Mas esperamos ter conseguido convencer vocês de que há outra maneira, de que ser gentil e atencioso, em vez de egoísta e cruel, é uma forma igualmente válida – e acreditamos que muito mais efetiva – de ir para a frente. Diante disso, por que não tomar o caminho da gentileza? Não apenas ele fará você avançar mais em sua carreira e em sua vida, como também fará você se sentir melhor. Na cultura de hoje ouvimos muito sobre auto-estima e as muitas maneiras de obtê-la – da repetição de mantras à compra de um carro novo. E, no entanto, freqüentemente negligenciamos o caminho mais seguro e rápido para o auto-respeito – comportar-se de uma maneira que faça você respeitar a si mesmo. Se você agir com integridade, compaixão e classe, pode não precisar passar horas no divã de um terapeuta tagarelando sobre como os conflitos com seu patrão ou seu marido decorrem de alguma coisa que sua mãe disse quando você tinha quatro anos. Você saberá, no fundo de seu coração, que é uma pessoa valiosa e digna, que pode ajudar a mudar o mundo com uma ação generosa de cada vez.

É uma lição que nosso amigo e colega de trabalho Hal Friedman descobriu não faz muito tempo. Durante sua viagem diária para casa, de Nova York para Nova Jersey, Hal sempre via o mesmo mendigo pedindo uns trocados, perto da entrada do Túnel Lincoln. "Durante meses, todo dia ele se aproximava do meu carro e eu lhe dava uma moeda de 25 centavos ou de um dólar, o que estivesse mais à mão. Com o tempo, passamos a nos reconhecer e aquele contato passou de um incômodo a uma parte simpática da viagem para casa", contou Hal.

Um dia, Hal ficou pasmo ao ver que seu amigo estava usando um terno novo e gravata. O homem caminhava de um carro para outro sorrindo e apertando a mão de todo mundo. Quando alcançou o carro de Hal, explicou orgulhoso que finalmente encontrara um emprego e queria agradecer a Hal por tê-lo ajudado a se manter. "Ver seu sucesso e a felicidade em seu rosto valeu 100 vezes mais do que o dinheiro que lhe dei", disse Hal.

Se você ganhou alguma coisa com este livro, esperamos que seja a consciência de que há um potencial inexplorado até na menor boa ação e que ele pode ter um efeito multiplicador forte o suficiente para mudar o mundo. Sim, um ato casual de bondade pode ajudar você a se tornar mais rico, mais saudável e mais sábio. Mas, acima de tudo, ele o tornará mais feliz.

E, afinal, não é esse o *verdadeiro* poder da gentileza?

Agradecimentos

Em primeiro lugar, um sincero agradecimento a Tricia Kenney, diretora administrativa de Comunicações Empresariais da The Kaplan Thaler Group, por nos dar o perfeito título para este livro. Tricia é a pessoa certa para nos ajudar com essa contribuição tão decisiva, porque ela é, de fato, uma das pessoas mais gentis (para não dizer uma das mais inteligentes) que conhecemos. Tricia, seu empenho e dedicação para tornar *O poder da gentileza* uma realidade foram realmente notáveis.

Um agradecimento para Richard Abate, nosso brilhante agente literário da ICM. Você tem um insight surpreendente e um gosto impecável, e sempre podemos contar com você por ser o nosso mais dedicado advogado.

Palavras apenas não podem expressar a profundidade do nosso agradecimento a Sara Eckel, uma surpreendente e talentosa escritora, sem a qual este livro ainda seria um sonho em nossos corações. Sara foi sempre capaz de encontrar a citação esclarecedora, a história que ilumina e a frase imaginativa capaz de entrelaçar perfeitamente nossos pensamentos e experiências. E um agradecimento muito especial a Mark Holcomb, por sempre estar à disposição de Sara.

Um agradecimento ao nosso talentoso e dedicado editor,

Roger Scholl, da Doubleday. Roger, seus adendos (e supressões) sempre têm o toque perfeito. Cada página de *O poder da gentileza* se beneficiou do seu talento e paixão por este projeto. Também gostaríamos de agradecer a toda a equipe da Doubleday, por seu apoio. Nossos agradecimentos também para o pessoal da Dan Klores Communications – Karyn Barr, Johanna Flaterry, Wendy Katz e Jeff Klein, incansáveis divulgadores que usaram suas maravilhosas habilidades para nos ajudar a levar este livro ao público. A Toby Fleishman, que magistralmente administrou o processo de marketing do livro, do começo ao fim, um agradecimento por nos manter informadas sobre cada etapa do caminho. E obrigada aos nossos generosos amigos Evan Greenberg e Diane Bell, da Allscope Media, por nos dar tanto do seu tempo e do seu conhecimento da mídia. Obrigada também a Mike Metz e à talentosa equipe do Fat Free Studio, por projetar nosso site, e a Joanna Parson, por suas transcrições super-rápidas.

Um agradecimento sincero a Gerry Laybourne, que tão generosamente nos deu uma oportunidade de falar sobre o poder da gentileza no café da manhã do Oxygen Mentors Walk, um evento nacional que ela criou em 2005. E obrigada também a Amy Gross, editora-chefe da *O, Oprah Magazine,* por estar na platéia naquela manhã e reconhecer que essa idéia podia tornar-se uma reportagem para a revista. Esses são os acontecimentos que, em última instância, nos estimularam a escrever nosso livro e nós agradecemos a ambas por reconhecerem o pleno potencial dessa idéia.

Queremos agradecer especialmente aos muitos clientes, amigos, parentes e colegas de trabalho que tão generosamente contribuíram com suas histórias ou ajudaram a encontrá-las para este livro.

Um agradecimento muito especial a Maurice Lévy, o superintendente da nossa empresa afiliada Publicis Groupe. Apreciamos verdadeiramente seu apoio entusiástico. Obrigada, Eve Magnant, por todos os seus esforços para checar os fatos.

Ao longo dos vários meses de trabalho neste livro, muitas pessoas da The Kaplan Thaler Group nos ajudaram com seus conselhos, horas extras e apoio. Agradecimento especial às nossas incansáveis assistentes Sheryl Genna e Fran Marzano, por estarem sempre presentes quando precisamos delas. Obrigada aos membros da nossa Comissão Executiva – Lisa Bifulco, Tricia Kennedy, Gerry Killeen e Kevin Sweeney. Cada um ajudou nas exigências de fazer deste livro uma realidade. Obrigada a Dennis Marchesiello e ao KTG Studio, por ajudarem a criar a proposta original do livro. A John Vila, por ajudar a revisar as provas dos agradecimentos e do original. E também a Peter Unger e John Colquhoun, por seus maravilhosos projetos de capa e fabulosas ilustrações para a nossa proposta inicial. Mais agradecimentos a Myles Klecger, por seu trabalho no programa de marketing, bem como aos esforços incansáveis de Erin Creagh, em todos os detalhes, grandes e pequenos.

Um agradecimento aos especialistas Dra. Ona Robinson e Dr. Gary Belkin, que nos deram tantas informações necessárias sobre a verdade humana latente que está por trás de *O poder da gentileza.*

Sinceros agradecimentos ao brilhante Geshe Michael Roach, que inspirou o início deste livro, com seu comentário simples e penetrante de que deveríamos todos fazer uma torta maior.

Uma nota reconhecida de agradecimentos a Donald Trump, por seu apoio cordial; a Ken Auletta, por sua honestidade e sabedoria; e a Kathy Ireland, por suas palavras gentis e pela inspiração.

E, claro, nossos sinceros agradecimentos às nossas respectivas famílias:

Ao meu maravilhoso marido Fred Thaler, por todo o seu apoio carinhoso, e aos nossos filhos Michael e Emily, uma fonte constante de alegria e felicidade.

Ao meu amado marido Kenny Koval, cuja fé inabalável em mim é sempre uma fonte de inspiração. E à minha linda e talentosa filha Melissa Koval, que enche minha vida de alegria e orgulho.

E, finalmente, nossos mais profundos agradecimentos a Jay Leno, por nos mostrar o verdadeiro poder da gentileza passando-nos suas maravilhosas histórias e contribuindo gentilmente com o prefácio deste livro.

A todos que incluímos aqui nestas páginas, e às muitas pessoas que tocaram nossas vidas e nos tornaram mais gentis por causa disso, esperamos que este livro os ajude a desfrutar seu sucesso e a trazer a felicidade que buscam.

– Linda e Robin

Notas

CAPÍTULO 1 O poder da gentileza

1. SANDERS, Tim. *O Fator Gente Boa.* Rio de Janeiro: Sextante, 2007.

2. GOLEMAN, Daniel; BOYATZIS, Richard; MCKEE, Annie. *O poder da inteligência emocional.* Rio de Janeiro: Campus, 2002.

CAPÍTULO 3 Faça um bolo maior

1. RATH, Tom; CLIFTON, Donald O., Ph.D. *Seu balde está cheio?* Rio de Janeiro: Sextante, 2005.

2. Levantamento com cerca de um milhão de trabalhadores em mais de 330 empresas feito pelo Grupo Hay, uma firma de consultoria especializada em recursos humanos e comportamento em organizações. *Kansas City Star*, 11 de julho de 2001.

CAPÍTULO 4 Adoce a negociação

1. MYERS, David G., Ph.D. *Feeling Good About Frederickson's Positive Emotions* (Concordando com a teoria de Barbara Frederickson sobre as emoções positivas). *Prevention and Treatment*, 7 de março de 2000.

   VEENHOVEN, Ruut. *The Utility of Happiness* (A função da felicidade). *Social Indicators Research*, 1988.

2. *The Science of Chocolate* (A ciência do chocolate). *BBC*, 17 de novembro de 2004.

3. MYERS, David G., Ph.D. *Feeling Good About Frederickson's Positive Emotions* (Concordando com a teoria de Barbara Frederickson sobre as emoções positivas). *Prevention and Treatment*, 7 de março de 2000.

CAPÍTULO 5 Ajude seus inimigos

1. AXELROD, Robert. *The Evolution of Cooperation* (A evolução da cooperação). Nova York: Basic Books, 1985.

2. WASHINGTON POST. 22 de julho de 2005.

3. WALL STREET JOURNAL. 3 de janeiro de 2006.

CAPÍTULO 6 Diga a verdade

1. EISENHOWER, Dwight D. *Cruzada na Europa*. Rio de Janeiro: Biblioteca do Exército Editora, 1974.

2. HENIG, Robin Marantz. *Looking for the Lie* (À procura da mentira). *New York Times Magazine*, 5 de fevereiro de 2006.

CAPÍTULO 7 "Sim", o caminho do topo

1. RATH, Tom; CLIFTON, Donald O., Ph.D. *Seu balde está cheio?* Rio de Janeiro: Sextante, 2005.

2. BENNIS, Warren; BEIDERMAN, Patrícia Ward. *Os gênios da organização*. Rio de Janeiro: Campus, 1998.

3. PEASE, Allan. *Signals: How to Use Body Language for Power, Success and Love* (Sinais: Como usar a linguagem corporal para conseguir poder, sucesso e amor). Nova York: Bantan Books, 1984.

4. MALOTT, Richard W.; WHALEY, Donald L. *Princípios elementares do comportamento*. São Paulo: EPU Editora, 1980.

CAPÍTULO 9 Encoste sua cabeça no ombro deles

1. *The Infinite Mind* (Mente infinita). Rádio Pública dos Estados Unidos, 23 de novembro de 2005. O programa semanal trata de questões de neurociência, distúrbios mentais e saúde.

CONHEÇA OUTROS TÍTULOS DA EDITORA SEXTANTE

Atendimento Nota 10

PERFORMANCE RESEARCH ASSOCIATES

Prestar um Atendimento Nota 10 é criar uma experiência inesquecível para o cliente. É suprir expectativas e satisfazer necessidades, descobrindo oportunidades de surpreender e cativar. E assim fazer com que ele volte sempre.

Com uma linguagem e ilustrações simples e bem-humoradas, *Atendimento Nota 10* aborda os mais importantes aspectos envolvidos em um serviço de alta qualidade. Aqui você encontrará variadas estratégias, técnicas e dicas para prestar o melhor atendimento – pessoalmente, pela internet e pelo telefone.

Seja você um iniciante ou um profissional experiente nessa área, essa leitura lhe dará uma visão bastante positiva dos desafios relacionados a essa atividade.

O jogo do trabalho

CHARLES A. COONRADT E LEE NELSON

Como seis pessoas com uma rede, uma bola de vôlei e a determinação de vencer o jogo se tornam uma equipe bem gerenciada em questão de minutos na festa de fim de ano da empresa, mas não conseguem esse mesmo tipo de motivação no trabalho?

Isso acontece porque no esporte elas têm feedback constante sobre seu desempenho – como conhecem o placar, seu esforço para obter o melhor resultado surge de modo natural. Na vida profissional, muitas vezes o feedback não é confiável, não é contínuo e, em alguns casos, nem mesmo fornecido. E mais: geralmente, a pessoa não sabe as regras do jogo e o que deve fazer para ser bem-sucedida.

Esse livro mostra como estabelecer metas e usar a motivação própria da diversão para conquistar a vitória no trabalho. Com esse método, os resultados são medidos, fornecendo as chaves para tornar a empresa mais lucrativa por meio do aumento da produtividade e do entusiasmo dos colaboradores.

O Fator Gente Boa

TIM SANDERS

Um dos aspectos mais estressantes da vida moderna é ter de lidar com pessoas desagradáveis. Somos tão direcionados para a eficiência e a produtividade que acabamos nos esquecendo de que o mais importante é nossa capacidade de cativar as pessoas.

Pessoas simpáticas que possuem o que Tim Sanders chama de alto Fator-GB (Gente Boa) tendem a se adaptar com mais facilidade aos seus empregos, a fazer amizades rapidamente e a ter relacionamentos mais felizes.

O autor acredita que a simpatia não é apenas uma maneira de melhorar sua vida - é uma maneira de salvá-la. Ao descobrir que existem poucos livros sobre o tema, ele decidiu elaborar um método para ensinar as pessoas a aumentar seu Fator GB.

Abrace seus clientes

JACK MITCHELL

Uma vez cliente, sempre amigo. Esse é o princípio básico da teoria do abraço de Jack Mitchell, um dos proprietários do grupo Mitchells/Richards, duas das mais bem-sucedidas e elegantes lojas de roupas dos Estados Unidos.

Nesse livro, ele mostra as vantagens de liderar uma empresa centrada nos clientes e como desenvolver a cultura do abraço, fazendo com que todos, do mensageiro ao presidente, se dediquem e se envolvam diretamente com eles.

Baseado na filosofia de vendas que a família Mitchell construiu ao longo de 45 anos, o autor reúne, em *Abrace seus clientes*, uma série de relatos que ilustram o poder do atendimento afetuoso e mostra como isso pode representar a diferença entre o sucesso e o fracasso.

1001 maneiras de tomar a iniciativa no trabalho

BOB NELSON

Como todo profissional, você tem diariamente a oportunidade de arregaçar as mangas, usar seus talentos e se destacar por uma atuação brilhante. Quase sempre, isso é apenas uma questão de tomar a iniciativa – de entrar em ação antes que o seu supervisor lhe diga o que fazer e como.

Bob Nelson apresenta centenas de exemplos de pessoas que conseguiram implementar mudanças extraordinárias em suas organizações a partir de idéias simples e foram reconhecidas por isso.

Prático e abrangente, esse livro apresenta exercícios e técnicas de administração, dicas de líderes, pesquisas e estudos de caso para motivar você a seguir nessa promissora direção.

1001 maneiras de premiar seus colaboradores

BOB NELSON

Com mais de 1,5 milhão de exemplares vendidos em todo o mundo, *1001 maneiras de premiar seus colaboradores* se tornou uma referência por mostrar que o que motiva uma pessoa a ter um desempenho brilhante não é um aumento de salário nem uma promoção, mas certos gestos inesperados no dia-a-dia que demonstram o real reconhecimento por um trabalho bem-feito.

Se você está em busca de formas originais e altamente eficazes de premiar seus colaboradores por uma excelente atuação, esse livro tem sugestões sob medida para o seu caso, seja qual for o tamanho de sua empresa e do seu orçamento.

Você vai encontrar aqui centenas de estratégias de sucesso, desde iniciativas informais de agradecimento de baixo – ou nenhum – custo a programas formais de reconhecimento.

Palavras positivas, mudanças significativas

HAL URBAN

Nessa narrativa sensível e altamente inspiradora, Hal Urban, autor do clássico *As grandes lições da vida*, volta a nos emocionar com uma mensagem simples, mas profunda e especial: as palavras positivas são um dos instrumentos mais poderosos de que dispomos para nutrir, fortalecer e restaurar relacionamentos. Elas nos permitem mudar vidas – tanto a nossa quanto a das pessoas ao nosso redor.

Urban mostra de que maneira podemos exercitar um tipo saudável de linguagem capaz de tornar mais prazerosas e frutíferas nossas relações familiares, afetivas, profissionais e sociais. E revela os resultados maravilhosos que conseguimos obter quando nos expressamos com mais cuidado, gentileza, respeito e gratidão.

Ele também nos lembra de que as palavras são escolhas. Elas têm o poder de levantar ou abater o ânimo, de inspirar ou desencorajar, de ajudar ou magoar. Assim, cada vez que falamos, temos a opção de celebrar a vida e fazer com que as pessoas se sintam bem e realmente valorizadas.

Os 100 segredos das pessoas de sucesso

DAVID NIVEN

Cada um de nós tem um objetivo na vida, um desejo que pretende realizar. Os sonhos mudam, mas todos nós temos a mesma vontade de atingir nossas metas. E muitas vezes confundimos o sucesso com fama e dinheiro.

Nesse livro, David Niven se debruça sobre as pesquisas que identificaram as práticas, princípios e crenças necessários para se ter sucesso. De forma simples e agradável, apresenta em cada capítulo uma dessas conclusões, acompanhada de um exemplo real e de um conselho que você deve colocar em prática para "chegar lá".

Aprenda a se comunicar com habilidade e clareza

Lani Arredondo

Com o desenvolvimento da tecnologia, hoje podemos nos comunicar com mais pessoas e com maior rapidez. Mas será que estamos nos comunicando melhor? A comunicação eficiente – dizer o que se quer e usar as palavras certas para produzir os resultados desejados – ainda é um grande desafio.

Esse livro ensina 24 estratégias simples e práticas para transformar qualquer pessoa em um excelente comunicador, oferecendo técnicas para você fazer apresentações eficazes, se relacionar com os outros com gentileza e objetividade e solucionar os conflitos no ambiente de trabalho.

Independentemente do cargo que ocupa, *Aprenda a se comunicar com habilidade e clareza* vai ajudar você a conquistar o respeito e a admiração dos seus colegas de trabalho.

Aprendendo a lidar com pessoas difíceis

Dr. Rick Brinkman e Dr. Rick Kirschner

Pessoas difíceis são um desafio. Na melhor das hipóteses, elas tornam a nossa vida mais estressante e desagradável. Na pior, atrapalham a realização de projetos pessoais e a conquista de metas profissionais importantes.

Esse livro mostra como extrair o melhor de pessoas problemáticas, mesmo quando elas exibem o pior de si mesmas. Apresentando técnicas eficazes e uma abordagem criativa, os autores ensinam o caminho das pedras – o aprendizado que pode ser extraído da convivência em grupo, apesar das diferenças – e os atalhos para impedir que as pessoas que o incomodam enfraqueçam seu desempenho no trabalho e na vida pessoal.

CONHEÇA OS 30 CLÁSSICOS DA EDITORA SEXTANTE

O monge e o executivo, de James C. Hunter

Você é insubstituível, Dez leis para ser feliz, Pais brilhantes, professores fascinantes e *Nunca desista de seus sonhos,* de Augusto Cury

O Código Da Vinci e *Anjos e Demônios,* de Dan Brown

Jesus, o maior psicólogo que já existiu, de Mark W. Baker

Por que os homens fazem sexo e as mulheres fazem amor?, de Allan e Barbara Pease

O que toda mulher inteligente deve saber, de Steven Carter e Julia Sokol

Muitas vidas, muitos mestres, de Brian Weiss

Enquanto o amor não vem, de Iyanla Vanzant

Não leve a vida tão a sério, de Hugh Prather

A última grande lição e *As cinco pessoas que você encontra no céu,* de Mitch Albom

Um dia "daqueles" e *Querida mamãe, obrigado por tudo,* de Bradley Trevor Greive

Palavras de sabedoria, de Sua Santidade, o Dalai-Lama

A vida é bela, de Dominique Glocheux

1.000 lugares para conhecer antes de morrer, de Patrícia Schultz

Transformando suor em ouro, de Bernardinho

Os segredos da mente milionária, de T. Harv Eker

Mantenha o seu cérebro vivo, de Lawrence Katz e Manning Rubin

O Poder do Agora, de Eckhart Tolle

O poder da paciência, de M. J. Ryan

Aprendendo a gostar de si mesmo, de Louise Hay

A arte da meditação, de Daniel Goleman

A Boa Sorte, de Álex Rovira Celma e Fernando Trías de Bes

O ócio criativo, de Domenico De Masi

A Dieta do Abdômen, de David Zinczencko e Ted Spiker

INFORMAÇÕES SOBRE OS
PRÓXIMOS LANÇAMENTOS

Para receber informações sobre os lançamentos da EDITORA SEXTANTE, basta enviar um e-mail para
atendimento@esextante.com.br
ou cadastrar-se diretamente no site
www.sextante.com.br

Para saber mais sobre nossos títulos e autores, e enviar seus comentários sobre este livro, visite o nosso site:
www.sextante.com.br

EDITORA SEXTANTE
Rua Voluntários da Pátria, 45 / 1.404 – Botafogo
Rio de Janeiro – RJ – 22270-000 – Brasil
Telefone: (21) 2286-9944 – Fax: (21) 2286-9244
E-mail: atendimento@esextante.com.br